春秋左傳疑異考釋

謝 秀 文 著

文 史 哲 學 集 成
文史哲出版社印行

國家圖書館出版品預行編目資料

春秋左傳疑異考釋 / 謝秀文著. -- 修訂再版
--臺北市：文史哲, 民 100.01
頁；　公分（文史哲學集成；104）
參考書目：頁
ISBN 978-957-549-957-0(平裝)

1 左傳 2.注釋

621.732　　100004410

文史哲學集成 104

春秋左傳疑異考釋

著　者：謝　秀　文
出版者：文　史　哲　出　版　社
http:// www.lapen.com.tw
e-mail：lapen@ms74.hinet.net
登記證字號：行政院新聞局版臺業字五三三七號
發行人：彭　正　雄
發行所：文　史　哲　出　版　社
印刷者：文　史　哲　出　版　社
臺北市羅斯福路一段七十二巷四號
郵政劃撥帳號：一六一八〇一七五
電話886-2-23511028・傳真886-2-23965656

實價新臺幣四〇〇元

中華民國七十三年（1984）八月初版
中華民國一百年（2011）三月修訂再版

ISBN 978-957-549-957-0　　00104

春秋左傳疑異考釋

目次

序

本書「春秋左傳疑異考釋」是拙著「春秋三傳考異」之增修本。「春秋三傳考異」承蒙文史哲出版社於民國七十三年八月初版。今將再版，除將原著八篇考證中之「春秋異文探源」及「春秋左傳記時差異探源」大加修訂外，另新增「春秋名稱緣起」、「春秋流傳概述」、「詳考三傳經文何者最近春秋古本」、「春秋左氏傳成書考辨」、暨「附篇：春秋時代秦曾否行建亥之正之商榷」等五篇。全書計十三篇。謹就教於學界先進。

謝秀文 序於鳳山　歲次辛卯　元月三日

壹　春秋名稱緣起

今日談到「春秋」慣指孔子之春秋經而言。

至於孔子春秋經之「春秋」一名何所來？本文茲分一、二、三，三個層次述之於後：

一

孔子春秋經之「春秋」一名之緣起，說本紛紜；

一曰緣於「春獲麟、秋成書。」

公羊隱公第一徐彥疏引舊云春秋說云：

哀十四年春，西狩獲麟、作春秋、九月成書、以其書春作秋成，故云春秋也。

二曰緣於「春爲陽中、秋爲陰中。」

漢書律曆志曰：

夫曆春秋者、天時也。……以陰陽之中制其禮。故春爲陽中，萬物以生；秋爲陰中，萬物以成，是以事擧其中。

公羊隱公第一徐彥疏引問曰云：

案，三統曆云：春爲陽中，萬物以生，秋爲陰中，萬物以成，故名春秋。

三曰緣於「取賞以春夏、刑以秋冬。」

鄭樵云：「取賞以春夏、刑以秋冬。」鄭氏又云：「一褒一貶，若春若秋。」以上二語蓋均有「春賞秋刑」義。此義本諸周禮。周禮春官曰：

立春官宗伯，使帥其屬而掌其邦禮，以佐王和邦國。

又秋官曰：

立秋官司寇，使帥其屬而掌邦禁，以佐王刑邦國。

四曰緣於「春爲生物之始、秋爲成物之終。」

公羊隱公第一徐彥疏引春秋說云：

始於春，終於秋，故曰春秋者，道春爲生物之始，而秋爲成物之終。故云始於春，終於秋，故曰春秋也。

五曰緣於「奉始養終。」

論衡正說篇引儒說曰：

春者，歲之始；秋者，其終也。春秋之經可以奉始養終，故號爲春秋。

六曰緣於「年有四時、錯擧以爲四時之名。」

左傳杜序云：

年有四時，故錯擧以爲所記之名也。

孔穎達疏云：

年有四時，不可徧擧四字以爲書號，故交錯互擧，取春秋二字以爲所記之名也。春先於夏、秋先於冬，擧先可以及後，言春足以兼夏，言秋足以見冬，故擧二字以包四時也。春秋二字是此書之總名，雖擧春秋二字，其實包冬夏四時之義，四時之內，一切萬物生植孕育盡在其中，春秋之書無物不包、無事不記，與四時義同，故謂此書爲春秋。

以上六說，若「春獲麟、秋成書」說，似同神話，春秋大作也，其成何其速耶？知該說頗爲不妥。「春爲陽中、秋爲陰中」說，乃以陰陽五行說經。陰陽五行之說起之頗遲，以此釋春秋之名，似亦不妥。若夫「取賞以春夏，刑以秋冬」乃後儒假「襃貶」以附會耳。「春爲成物之始，秋爲成物之終。」暨「奉始養終」二說亦頗牽強。唯杜預「年有四時，故錯擧以爲四時之名。」說頗近之，但終不若杜預在其春秋序中所謂「春秋者，魯史記之名也。」

來得直接而明白。孔子之春秋，實承襲魯史記「春秋」之舊名也。其理由有二焉：

一曰孔子之春秋經，不論爲孔子所作、所述，其本之魯史則爲古今不爭之事實。

二曰魯史本名確爲「春秋」。魯史本名「春秋」，除杜預所謂「春秋者，魯史記之名也。」之外，左傳、孟子亦各有說。左傳昭公二年傳云：

> 晉侯使韓宣子來聘，且告爲政，而來見、禮也。觀書於大史氏，見易象與魯春秋，曰：「周禮盡在魯矣，吾乃今知周公之德與周之所王也。」

孟子離婁下曰：

> 晉之乘，楚之檮杌，魯之春秋，一也。

考昭二年韓宣子來聘時，孔子年方十一，韓宣子所見之魯春秋顯然爲魯史「春秋」而非孔子之春秋經也。孟子更以「魯之春秋」與「晉之乘」「楚之檮杌」對稱，乃以「春秋」爲魯史記之專名也。

總之，孔子之春秋經既本諸魯史，魯史舊名亦確稱「春秋」，知孔子春秋經之「春秋」二字，沿襲魯史之舊名，乃自然之勢也。

二

再進一層看，魯史又何以「春秋」名？要找這個答案？首先要明白，雖然杜預、孟子將「春秋」二字視爲魯史之專稱，但「春秋」亦爲各國史記之通名。如漢書藝文志曰：

古之王者，世有史官，君舉必書，所以愼言行，昭法式也。左史記言，右史記事，事爲春秋，言爲尚書。

所謂「古之王者，世有史官」顯然非專指某王某君或某國史官言。所謂「右史記事，事爲春秋」亦非專指某國之事言。又公羊傳莊公七年「不脩春秋」句，何休注之曰：

不脩春秋謂史記也。古者謂史記爲春秋。

所謂「古者謂史記爲春秋」，已將此「春秋」二字視爲史記之通名。春秋左傳杜預序孔穎達疏曰：

據周世法則，每國有史記當同名春秋。

此更明指各國史記同名春秋矣。再者，墨子嘗曰：「吾嘗見百國春秋。」（史通六家篇及隋書李德傳並引）墨子又在墨子書明鬼下四引各國鬼怪事，一則曰：「著在周之春秋。」二則曰：「著在燕之春秋。」三則曰：「著在宋之春秋。」四則曰：「著在齊之春秋。」可知在古時（古之王者……），在周世（據周世法則……），或在墨子那個時代，各國史記通稱

「春秋」。因此，「春秋」是魯史之專名亦爲各國史記之通稱。林尹先生中國學術思想大綱曰：「春秋者，魯史之專稱，亦諸國史之通名也。」所言中肯。

當然，或有人問曰：此與魯史何以「春秋」名有何關係？其關係在於「春秋」既爲各國史之通名，魯史記亦爲各國史之一，亦可因此通名而稱「春秋」，而後復由此通名而轉變爲魯史記之專稱也。此一形勢，左傳杜序之孔疏已有所啓示矣。孔疏曰：

案外傳申叔時，司馬侯乃是晉楚之人，其言皆云春秋，不言乘與檮杌，然則春秋是其大名，晉楚私立別號，魯無別號，故守其本名。

此言「春秋是大名」，即言「春秋」是各國史記之通名也。所謂「晉楚私立別號，魯無別號，故守其名」，即指魯史之專名「春秋」乃沿襲各國史記之通名「春秋」而未加改變者也。

三

再進一層看，各國史記又何以「春秋」名？

夫「史記」之用必爲記事，記事輒以時、日附之，此必然之理也。故杜預春秋序有云：

記事者，以時繫日，以日繫月，以月繫時，以時繫年，所以記遠近別同異也。故史之所記，必表年以首事。年有四時，故錯擧以爲所記之名也。

杜言記事以日、月、時，年繫之，以記遠近，別同異，其說甚合情理。但其謂「春秋」二字乃錯舉四時待商榷。蓋初民記事是否有春夏秋冬四時之名待考證也。

夫東周之際，春秋、國語均以春、夏、秋、冬四時記事，此時已年有春、夏、秋、冬四季，自不待言。再上推至西周時代，據左傳注考證西周亦有春夏秋冬四時之名。左傳注前言云：

> 春夏秋冬四時之名，至遲起於西周。以詩而論，我認爲豳風作於西周，七月有「春日載陽」，小雅出車也作於西周，有「春日遲遲」。（見左傳注四頁）

又云：

> 古本竹書紀年，大半輯自前人所引，引文不但不完全，可能還有修改變動，然而原本既已喪失，現在不能不依靠輯本。而輯本也絕大多數不標春夏秋冬四時。唯初學記二、太平御覽十四、北堂書鈔一五二引西周時一條，說：「夷王七年冬，雨雹，大如礪。」這一條不知道是否紀年作者鈔自西周夷王原始記載，還是他本人改寫。但這條的「冬」字，依情理論，後人難以妄加或妄改。如果這個推斷不錯，那麼，古代史書於每季的第一月或者最初記事之月，標明春、夏、秋、冬，從西周已是如此。

左傳注既謂「春夏秋冬四時之名，至遲起於西周」又舉例證明，知西周時代之史記已有春、夏、秋、冬四時，蓋亦無何疑問矣。如再上推至殷商時代其情況如何？勢必徵之殷商卜辭。考，卜辭學者陳夢家、于省吾、李孝定諸君對此大致已有結論。陳夢家先生曰：「卜辭只有春秋兩季，而無冬夏。」（見陳先生卜辭綜述二二七頁）。于省吾先生亦曰：「有春秋而無冬夏。」（見于先生歲時起源）。李孝定先生曰：「殷時尚無四時觀念。」（見李先生甲骨文字集釋三四二二頁）筆者就卜辭觀之（筆者將春、夏、秋、冬四字在卜辭中之狀況附列文末附註中），其結果大體如陳、于諸君說。且發現在卜辭資料中尚無春秋二字連用者。

由卜辭中，既知「殷時尚無四時觀念。」「卜辭只有春秋兩季而無冬夏。」知「夏」「冬」二季乃後世曆法精進之後，自春秋二季分出者。

又由於此一先有「春秋」後再分出「冬夏」之自然形勢，可能為後世留下幾點影響：一曰四時有不依時序而先書春秋後書冬夏者。如禮記孔子閒居曰：「天有四時，春秋冬夏。」墨子天志曰：「制為四時，春秋冬夏。」管子幼官圖曰：「修春秋冬夏之長祭。」二曰「春」「秋」二字卜辭中雖無連用之例，但因一年只有春秋二季，乃使後世之書好連用，如詩經魯頌閟宮曰：「春秋匪解，享祀不忒。」禮記中庸曰：「春秋修其祖廟。」左傳襄十三年曰：「唯是春秋窀穸之事。」三曰各國「史記」以「春秋」名。

結語

綜上所述，似可理出春秋名稱緣起之參考案如下：孔子春秋經之「春秋」一名緣之於魯史「春秋」；魯史「春秋」之名緣之於各國「史記」之通稱「春秋」；各國史記之通稱「春秋」緣之於初民年分「春秋」二季記事書春書秋之事實也。

附注：

春：卜辭 □ 前六、三九、三、□ 前七、二八、四、□ 藏二二七、三 □ 菁十、七、□ 明一五五八、有冠「今」字者，如前六三九、三「今□貞不□」。前七二八、四「貞麇吉曰方□今□……」葉王森研契枝譚釋爲「夏」之別體。但于省吾（殷契駢枝1至4頁）、陳夢家（卜辭綜述二二六—二二七頁）、董彥堂（殷曆譜下編）李孝定（甲骨文字集釋二三三頁）諸先生均以「春」字釋之。

三體石經春之古文作□。亦與卜辭合。

說文：「萅推也。从日艸屯。屯亦聲。」

夏：閱卜辭無夏字，唯葉玉森對兩處卜辭疑爲「夏」字。一次即上書之春字條，將𦱤、𣏟等字釋爲「夏」之別體。近人多非其說，已見上述。一次釋龝字作蟬，並謂「疑卜辭叚蟬爲夏」（見葉氏殷契鉤沈）考該字實爲「秋」，說詳下文「秋」字條。

說文夂部有「夏」字曰：「夏，中國之人也。」顯然與葉氏兩處說解異。

朱駿聲說文通訓定聲又謂：「春夏秋冬四時並本字本義。」朱說又與葉氏、說文殊。

秋：龝卜辭龝前五、二五二龝後下四二、三龝甲二、八三龝甲二、一五、九……諸形。卜辭於該字之上，時加「今」或「來」字。如前二、五，「今龝其……」又甲二、二六，「今龝其出降獲」，葉玉森釋作蟬字。並謂卜辭叚「蟬」爲「夏」（見葉氏殷契鉤沈）。唐蘭殷墟文字記大駁葉說，並釋該字爲「秋」曰：「卜辭曰『今龝』『來龝』又曰『今龝』龝及龝並當讀爲龝即『今秋』與『來秋』也。……其演變如下圖：

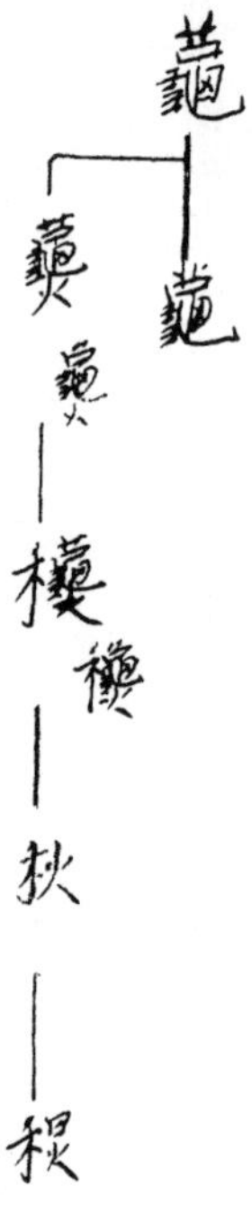

秋本收獲之時，百穀各以其熟爲秋。……」（詳見唐氏殷墟文字記六至七頁）。

李孝定甲骨文字集釋從唐說。（見甲骨文字集釋三九四四頁）說文禾部：「秋、禾穀熟也。」

冬：  菁六·一·  乙五四三四·  乙七一五六·  續存一五七·

葉玉森（研契枝譚）釋此甲文作記時之「冬」。

近人郭某據金文釋此字爲終始之「終」，郭某曰：「金文冬字多見，但均用爲終。其字形作……今案卜辭之亦終牛棘之終假用爲終始字。尚無一例可作冬夏字解者。」（甲骨文字集釋三四二一頁引）

商承祚曰：「……案此終之本字也。甲骨文卜雨之例有曰『其雨』……此『冬夕雨』即『終夕雨』也」（見其福氏所藏甲骨文字釋文）

李孝定甲骨文字集釋從郭、商二氏之說釋爲終始之終。說文仌部有字云：「四時盡也，从仌从、古文終字。古文冬，从日。」此知說文亦謂（冬）乃「終」之初文，而非記時之「冬」字。知卜辭之，確用爲終始之終。

貳　春秋流傳概述

傳春秋者，自古蓋分二義焉；一曰紀載之傳，主於紀事；二曰訓詁之傳，主於釋經。紀事者，左氏傳是也。釋經者，公羊、穀梁、鄒氏、夾氏之傳是也。鄒氏無師（註一）、夾氏有錄無書（註二），而公、穀二傳，皆自子夏，孔子曰：「吾志在春秋，行在孝經，春秋屬之商，孝經屬之參也。」齊人公羊高者，嘗受春秋於子夏，以傳其子平，平傳其子地，地傳子敢，敢傳子壽，至漢景帝時，壽乃與齊人胡毋子都著於竹帛（註三），漢書藝文志著錄公羊傳十一卷者是也。大指明於解經，疏於徵事。穀梁傳者，始於魯人穀梁赤，亦云傳經自子夏，或云穀梁赤秦孝公時人，乃後傳聞，以授荀卿，卿亦傳左氏，而授穀梁傳於齊人浮邱伯以傳魯申公，亦係口說，未知誰著竹帛，而題穀梁傳者，蓋著師傳之始，漢書藝文志著錄穀梁傳十一卷者是也。其傳旨在解經，與公羊傳同，其傳文每往復語難以盡其意，亦與公羊傳同，公、穀二傳，皆解正春秋，春秋所無者，二傳未嘗言之，而左氏敍事見本末，則有春秋所無，而左氏爲之傳者焉，有春秋所有，而左氏不爲傳者焉，故漢博士謂左氏不傳春秋，而推本公穀以為眞孔子之意也。

秦火以後，漢初惟左氏傳先出，以先著竹帛，多古字古音，謂之古文學。而公羊漢景帝時乃興，謂之今學。董仲舒以賢良對策，大致以春秋之文，求王道之端，以觀天人相與之際而得之於正，明春秋大一統之說，武帝罷黜百家，表彰六經，立學校之官，其議自仲舒發之，自是傳公羊者甚盛，實自董仲舒始。漢宣帝即位，聞衞太子好穀梁春秋，以問丞相韋賢，長信少府夏侯勝，及侍中樂陵侯史高，皆魯人也，言穀梁子本魯學，公羊氏乃齊學也，宜興穀梁，上善穀梁說，由是穀梁之學大盛。左氏之學，始自北平侯張蒼，傳洛陽賈誼，誼為左氏訓詁，歷數傳而至王莽，劉歆嗣其父向領校中五經秘書，見古文春秋傳，大好之，時丞相翟方進，授左氏春秋於尹更始，而更始之子咸為丞相吏，以能治左氏與歆校經傳，歆以為左丘明好惡與聖人同，親見孔子，而公羊、穀梁在七十子後，傳聞之與親見，其詳略不同，引傳文以解經轉相發明，由是章句義理備焉，歆父子俱好古，博見強志，沈浸左氏，由是言春秋，左氏傳者，本之劉歆，其先春秋僅有公羊博士，至孝宣世，復立穀梁博士，哀帝時，歆以欲建立左氏而被黜外，會哀帝崩，王莽持政，歆親近用事，卒立左氏，左氏自荀卿至尹更始父子翟方進輩皆以名家，而亦兼治穀梁，非公羊齊學絕不相通者比也，光武中興，立五經博士，春秋祇立公羊，而左氏穀梁皆不與，終東漢之世，治公羊者，以任城何休為最盛，閉門覃思十有七年，撰成春秋公羊解詁十一卷，題曰「何休學」，何氏解詁之說，多原自董仲舒之春秋繁露，休又與其師博士羊弼追述所受師說，作春秋公羊墨守十四卷，春秋左氏膏肓十三卷，春秋公羊廢疾三卷，以難二傳，然休之解詁公羊，亦有用左氏穀梁者。

考漢之今古文相攻擊，始於左氏、公羊，而今古文家之相攻若仇，亦惟左氏、公羊爲甚，東漢之初，左氏雖不立博士，然爲當世所重，世儒言左氏者不絕，平陵賈逵少傳父業，其父徽亦從劉歆受左氏學者，逵撰春秋左氏長義二十卷，奏之於上，帝嘉之，左氏由是行於世，扶風馬融嘗欲訓左氏春秋，及見逵及鄭衆所作，乃曰「賈君精而不博，鄭君博而不精，既精既博，吾何加焉」著三傳異同說。北海鄭玄，先通公羊，後名左氏，乃發公羊墨守、鍼左氏膏肓，起穀梁廢疾，以致難於何休，休見歎曰：「康成入吾室，操吾矛以伐我乎」，由是古學遂明，公羊微而左氏興，玄作左氏傳注未成，以與河南服虔，服之成書，說多出自鄭氏，三國時，魏王朗及其子肅，先後撰春秋左氏傳注，晉禪魏祚，遂幷東吳，京兆杜預平吳後，躭思典籍，具有左癖，爲春秋左氏經傳集解，分經之年與傳之年相附，比其義類，特舉劉歆賈徽父子許穎之違以見同異，大指以爲古今言左氏春秋者多矣，獨劉子駿創通大義，賈景伯、許惠卿，皆先儒之美者也，末有穎子嚴者，雖淺近，亦復名家，其他可見者十數家，大體轉相祖述，於丘明之傳，有所不通，皆沒而不說，又別集地名、譜第、曆數，相與爲部，凡四十部十五卷，皆顯其異同，從而釋之，名曰學例，又作盟會圖，春秋長曆，備成一家之學。元帝踐阼江左，詔立春秋左氏傳杜氏服氏博士各一人，公羊、穀梁皆不置，東晉之世，公羊幾成絕學，言穀梁者，推順陽范寧、姑幕徐邈，獨寧之集解，獲傳於後，晉書本傳：「其義精當，爲世所重，既而徐邈復爲之注，世亦稱之。」何休解詁，專主公羊，杜預集解，壹宗左氏，雖義有拘閡，必曲爲解說，蓋家法然也。獨苑寧兼採三傳，不專主穀梁，開唐代啖、趙、陸三家之先，異漢儒專家之學，蓋春秋經學，至此一變矣。

唐太宗時，國子祭酒孔穎達奉詔撰春秋左傳正義，壹宗杜解而爲之疏，四門博士楊士勛，與共參訂，士勛又爲范寧春秋穀梁傳集解作疏，其疏不及穎達杜疏之賅洽，苑寧傳例，全書已佚，散附集解。公羊傳自何休解詁以後，罕有爲之疏者，世傳徐彥所作，公羊傳附經不知始自何入？今本以傳附經，或徐彥作疏時所合併歟（註四）？自是春秋三傳之疏備，然春秋之學，至唐而疏通證明，集漢詁之大成，亦至唐而風氣獨開，導宋學之先路，肅、代之世，趙郡啖助，撰春秋統例，旨在援經以擊傳，助之學傳於河東趙匡，吳郡陸淳，淳成春秋集傳啖趙纂例十卷，更爲春秋微旨三卷，春秋集傳辨疑十卷，啖助之學，至淳而發揮旁通，今世所傳合三傳爲一書者，實自淳之纂例始，變專家爲通學，是春秋經學又一大變，宋儒治春秋者，幾皆此一派。

考宋儒之言春秋者，以孫復劉敞胡安國諸家爲最著，孫復最先，沿啖助之餘波，幾于盡廢二傳，劉敞之說不盡廢傳，往往依經立義，胡安國之春秋傳，作於宋室南渡之後，多借春秋以寓意，不必有合於經旨，甚至舉三傳義例而廢之，又惡左氏所載證據分明，不能惟所欲言也，則併舉左傳事蹟而廢之，自孫復以後，流波所衍，爲時甚久，至元仁宗定科舉經義取士條格，春秋用三傳及胡氏傳、汪克寬作春秋纂疏，一以安國爲主，明成祖命胡廣等撰春秋大全，七十卷，用克寬之說爲藍本，胡傳行而三傳廢，蓋自南宋之末直至明代爲然，然宋儒言春秋異於孫復者，眉山蘇轍撰春秋集傳十二卷，大意以世人多師孫復，不復信史，故簡別公、穀，一以左氏爲本，以二傳之臆測者難信，而左氏之徵史者有據也，魏了翁作春秋左傳要義，本杜注孔疏，而刪繁舉要，注重名物典制，程公說取春秋經傳，倣司馬遷書，爲年譜、名譜、曆法、天文、五行、疆理、禮樂、征伐諸書，周、魯、齊、宋、晉、楚諸大小國世本，成春秋分紀九十卷，條別件繫，附以序論，清儒春秋大事表所由仿焉。魏、程二書，於治左學者，良多裨益。

若元、明兩代之治春秋者，元之二家，曰慶元程端學積齋，休寧趙汸子常；明之二家，曰長洲陸粲子餘，太倉傳遜士凱。四人者主張不同，方法亦不同。端學作春秋三傳辨疑，春秋或問，於歷代諸家，各加抨擊，雖於三傳未免乖方，於宋儒深刻瑣碎之談，附會牽合之論，罔不並舉而摧陷焉。趙汸淹貫三傳，所傳皆據傳求經，多由考據得之，說春秋以左氏傳爲主，注則宗杜預，說尚徵實。陸粲著春秋附註，以駁正杜注孔疏暨陸德明之左傳釋文，旁采諸家，斷以己意，於訓詁家頗有裨益。傅遜著左傳屬事，仿袁樞紀事本末之體，變編年爲屬事，事以題分，題以國分，更加考注以訂杜預之誤，其書有可取焉。

清儒尊崇漢學，與明儒異趣，然公羊垂絕復續，至晚清乃盛，穀梁孤學，僅有傳者，獨左氏不絕於講誦，其特出而有功於前哲者，則有崑山顧炎武，衡陽王夫之，吳江朱鶴齡，吳縣惠氏父子，吳江沈彤，甘泉焦循，陽湖洪亮吉，桐城馬宗鏈，皆於左氏書有闡明，要以顧棟高之春秋大事表，體大思精，卓然獨著，儀徵劉文淇研精古籍，於左氏致力尤勤，嘗謂左氏之義，爲杜註剝蝕已久，其少可觀者，皆襲取舊說，發凡創例，撰左傳舊注疏證，表明杜氏所引之書，加以疏證，以己意定其從違期於實事求是，長編已具，顧未及寫定而卒，其子毓崧繼之，會世亂而卒，迄未成書，其孫壽曾又繼之，亦以夭死，三世一經，齎志隕沒（所幸該書於民國六十三年由明倫出版社出版，學界得覩此巨著），劉師培申叔者，文淇之曾孫，而壽曾之猶子也，少承先業，以春秋三傳，同主詮經，左傳爲書，說尤賅備，當其義例，以傳勘經，知筆削所昭，類存微旨，成春秋左傳例略、讀左劄記、春秋左氏傳答問等書，頗多創獲。餘杭章炳麟亦治左學，發疑成讀，成春秋左氏讀、劉子政左氏說、春秋左氏疑義答問等書，斯皆晚近左學之後勁。穀梁與左氏同出魯學，然自昔孤微，清中葉以後稍振，其著書名家者，海洲許桂林，番禺侯康，丹徒柳興恩，嘉善鍾文蒸，而柳氏以從善於經入手，以屬辭比事爲據，事與辭則以春秋日月等名例定之，於穀梁家爲有條貫，鍾氏之書，尤爲世重，膠州柯氏穀梁注晚出，體例亦極精嚴。曲阜孔廣森撰春秋公羊通義，兼授左、穀，其說三科九旨，不遵何休，爲人所稱道，蓋清儒之言公羊者，自廣森開其端。武進莊存與著春秋正辭，宏發公羊，刊落訓詁名物之末，而專求所謂微言大義者，其同縣外孫劉逢祿繼其學，成公羊春秋何氏釋例，凡何氏所謂非常異義可怪之論，如張三世，通三統絀周王魯，受命改制諸義，次第歸納而爲之敷暢，以微言大義刺譏褒諱抑損之文辭，洞然推極屬詞比事之道，又成箋說答難決獄等凡十一篇，蓋自漢以來之言公羊者，莫之逮也。江都凌曙，精鄭氏禮，聞劉逢祿論何氏春秋大好之，成公羊禮疏，公羊禮說，公羊問答，其弟子句容陳立兼習公羊春秋鄭氏禮，而於公羊用力尤深，成春秋公羊傳義，而於何氏有引申，無違異，蓋嚴疏不破注之例也，自來經生之學左氏者，必絀公羊，學公羊者，必絀左氏，劉逢祿論左氏書，謂據史記本名左氏春秋，若晏子春秋，呂氏春秋比，自王莽時，國師劉歆增設條例，推衍事迹，以爲傳春秋，非傳孔子之春秋，成左氏春秋考證二卷，南海康有爲著新學僞經考，幷擯春秋左氏傳於漢學之外，託改制以言變法，張三世以言進化，著有春秋董氏學，孔子改制等書，而定春秋爲孔子改制創作之書，實有不同於尋長者，自戊戌政變後，一時士大夫之驚變法者，競言公羊矣。或謂康氏之學，實聞諸井研廖平，廖精研三傳，尤長於公羊，其主張春秋之學，推行於世界，多非常奇異之論，所著有春秋公羊補證、左氏古經考、重訂穀梁春秋經傳古義疏、起起穀梁廢疾、釋范等書。近人皮錫瑞著春秋通論，謂春秋有大義、有微言，大義在誅當時之亂臣賊子，微言在爲萬世立法，公羊兼傳大義微言，穀梁不傳微言，但傳大意，左氏並不傳義，特以記事詳贍，有可以證春秋之義者，故三傳並行而不廢，是亦今文家之言矣。

民國肇造，春秋之學益盛，程發軔先生於民國六十年主編六十年來之國學，其中分列六十年來之公羊學；六十年來之穀梁學；六十年來之左氏學。於各家述之已詳，本文不復贅言也矣。

【注釋】

註一　漢書藝文志序錄語

註二　漢書藝文志班固自註語。

註三　公羊注疏序徐彥疏引戴宏序曰：「子夏傳與公羊高，高傳其子平，平傳其子地，地傳其子敢，敢傳其子壽，壽乃與弟子齊人胡母子都著於竹帛。」

註四　四庫全書總目春秋公羊傳注疏提要語。

叄　左傳「隱公立而奉之」釋義

讀左傳卷首：

惠公元妃孟子，孟子卒，繼室以聲子生隱公。宋武公生仲子，仲子生而有文在其手，曰：爲魯夫人，故仲子歸於我。生桓公而惠公薨，是以隱公立而奉之。

「隱公立而奉之」一語，前人釋義多不出「立桓」「奉桓」之說，筆者多方探討，察覺「立桓」「奉桓」之義少，隱公立後奉仲子爲夫人之義多。茲述之於後：

一、前人之解釋

「隱公立而奉之」漢鄭衆謂隱公攝立爲君，奉桓爲太子。賈逵謂隱立桓爲太子，奉以爲君。晉杜預注：「隱公繼室之子，當嗣世，以禎祥之故，追成父志，爲桓尚少，是以立爲太子，率國人而奉之。」孔疏評之曰：

鄭衆以爲隱公攝立爲君，奉桓爲太子，案傳言立而奉之，是先立後奉之也。若隱公先立乃後奉桓，則隱立之時未有太子，隱之爲君復何所攝？若先奉太子乃後攝立，不得云立而奉之，是鄭之謬也。賈逵以爲隱立桓爲太子奉以爲君，隱雖不即位，稱公改元，號令于臣子，朝正于宗廟，言立桓爲太子可矣，安在其奉以爲君乎？是賈之妄也。

孔仲達以「謬」「妄」譏鄭、賈，言詞間似已悟及「立桓」「奉桓」自有其矛盾在，唯其注意點始終集中在「立」「奉」之先後，暨「奉之爲君」「奉之爲太子」上。孔氏復曰：

襄二十五年，齊景公立，傳云：「崔杼立而相之。」以此知「立而奉之」謂立爲太子，帥國人奉之以爲太子也。元年傳曰太子少是立爲太子之文也，太子者，父在之稱，今惠公已薨而言立爲太子者，以其未堪爲君，仍處太子之位故也。

孔仲達以「崔杼立而相之」與「立而奉之」相提並論，然隱公元年之「公立而求成焉」與「隱公立而奉之」於「立」字言，筆法尤近。再者仲達既知惠在桓已爲太子，無復立爲太子之必要，仍謂「言立爲太子者，以其未堪爲君，仍處太子之位。」顯然意在附會杜說而已。一言以蔽之，鄭、賈、杜、孔均不曾有越「立桓奉桓」之想。近人竹添光鴻及金其源氏，對此均有驚人之語，竹氏左傳會箋云：

立謂隱公立爲君，與「公立而求成焉」之「立」相應，「不書即位，攝也。」即位二字，即承此「立」字。下傳又云：「惠公之薨也，有宋師，太子少，葬故有闕，是惠公蚤已立桓爲太子也。左氏之文前後相照而互發，非隱公始立桓公爲太子明矣。襄七年簡公生五年奉而立之，二十五年崔杼立而相之，「立」字並言立之爲君也，或據是二傳以護杜，可謂曲辨矣。「奉之」言不敢以弟畜之也。

金其源讀書管見云：

其曰是以隱公立而奉之者，惠公雖未及立桓公爲太子而奉仲子爲夫人，隱公成惠公之志，是以立桓公爲太子而奉仲子爲夫人也。

竹氏就「立」字立論，打破傳統「立桓」之見。唯對「奉之」仍釋之曰：「言不敢以弟畜之也。」金其源氏深知「奉」非奉桓，奉仲子爲夫人也。而「立」仍謂立桓爲太子。於此可知，二君雖各有創見，然仍不能完全走出「立桓」「奉桓」之格局。

二、隱公會否立桓奉桓之探討

案「立桓」之不妥，除竹氏所擧『立而奉之』之立，應與『公立而求成焉』之立字相應，不得以襄七年簡公生五年奉而立之，二十五年崔杼立而相之二傳曲辨」之理由外，就史實言，「立」亦不當謂立桓，如屬立桓，必不出「立爲太子」或「立之爲君」二途，傳既有「惠公之薨也，有宋師，太子少。」之語，知惠公在桓已爲太子矣，無再立太子之理。退而言之，即命惠公有立桓爲太子之意，未及立而薨，隱公爲追成父志，桓雖少，亦當立之爲君而自攝之，不當立爲太子。昔武王崩，成王少，雖在強葆中，周公仍奉之爲王（成王）而自踐阼代成王攝行政事（註一）。又隱後之魯襄公三歲而立爲國君（史記：成公卒，子午立，是爲襄公。是時襄公三歲。）未有謂成王襄公因年少而不堪爲王爲君宜立之爲太子者。如必言隱立桓爲太子，其爲父立乎？然君薨之後兄爲父立弟爲太子者未有所聞。爲己立乎？爲己立弟爲太子，有違追成父志之旨。如謂立桓爲君，尤背於史實，桓之爲公爲君。乃纂弒後之事，終隱之世，桓之身分僅如仲達所云：「其未堪爲君，仍處太子之位。」也。「立」字於桓何有？

「立桓」既屬子虛，復觀「奉」者奉何？主「奉桓」說者，不論鄭（奉桓爲太子）、賈（奉以爲君）、杜（率國人奉之），孔（從杜說）均不出奉桓爲君爲太子之途，即所謂「攝行政事」，然隱誠如周公之奉成王者乎？周公恐天下畔，雖踐阼代成王攝行政當國，然不自稱王改元，且言必稱成王（如周公聞管、蔡流言，乃告太公望、召公奭曰：「我之所弗辟而攝行政者，恐天下畔周……武王蚤終，成王少，將以成周，我所以爲之若此。」又如周公戒伯禽曰：「我文王之子、武王之弟、成王之叔父……」語見史記魯世家。）令必自成王出（如管蔡反，周公奉成王命興師東征。作大誥「王若曰：猷大誥爾多邦，越爾御事……」既伐管蔡，封康叔，作康誥，「王若曰，孟侯朕其弟小子……」見尚書），行政七年，成王長，周公反政成王，北面就群臣位（註二），反觀隱公，雖未言即位，但自稱公改元，號令臣子，朝正宗廟，又言必自稱寡人。左傳隱公稱「寡人」者八見：

一、五年九月：君命寡人同恤社稷之難。

二、同年同月：非寡人之所敢知也。

三、同年十二月：叔父有憾於寡人。

四、八年八月：公使衆仲對曰……寡君聞命矣。

五、十一年春：君與滕君，辱在寡人。

六、同年：寡人若朝于薛，不敢與諸任齒。

七、同年：君若辱貺寡人，則願以滕君爲請。

八、十一年七月：雖君有命，寡人否敢與聞。

行政十一年，故作反政於桓之姿，終成篡弒之局（註三）。隱之於桓，何奉之有？

三、「立」者隱公立也，「奉」者奉仲子爲夫人也

從文句之構造觀之，「公立而奉之」與隱公元年「惠公之季年，敗宋師于黃，公立而求成焉。」之末句同（竹添光鴻氏力主此說，前已述及。）。細案該句「公立而求成焉」，除

「隱公立後求成于宋焉」似無二解，既如此，「公立而奉之」之「公立」何不可以依竹氏之言而釋之曰「隱公立後……」？

至於「奉」字既不屬桓，在此當奉誰爲妥？可從以下幾點觀之：

㈠從隱公與仲子之關係觀之：讀左傳卷首：

惠公元妃孟子，孟子卒，繼室以聲子生隱公。宋武公生仲子，仲子生而有文在其手，曰，爲魯夫人，故仲子歸於我。……

至此不禁令人懷疑，仲子既生而有「爲魯夫人」之文，知仲子歸魯，志在爲魯夫人。惠公既有元妃孟子在先，又有繼室聲子生隱公在後，且禮諸侯不再娶，無二嫡（註四）。仲子歸惠公不得爲魯夫人明矣。仲子何以適惠公？

又春秋隱公二年：

十有二月，乙卯，夫人子氏薨。

公羊傳曰：「夫人子氏者何？隱公之母也。」穀梁傳曰：「夫人者，隱之妻也。」左氏無傳。「夫人子氏」公穀何有此荒誕之異？又左氏何以無傳？這些疑點，在史記中似已完全解決，史記魯世家云：

初、惠公適夫人無子，公賤妾聲子生子息。息長爲娶於宋。宋女至而好，惠公奪而自妻之。生子允。登宋女爲夫人，以允爲太子，及惠公卒，爲允少故，魯人共立息攝政，不言即位。

果如是，夫人子氏當如金其源氏所謂：「穀云隱妻，言其始也。公云隱母，言其終也。」仲子歸魯適隱，必可達其「爲魯夫人」之願。唯太史公此段記載，學者多有所疑，如索引評之曰：

左傳宋武公生仲子，仲子手中有「爲魯夫人」文，故歸魯生桓公。今此云惠公奪息婦而自妻。又經傳不言惠公無道，左傳文見分明，不知太史公何據而爲此說，譙周亦深不信然。

索引所持疑點有二：一曰「經傳不言惠公無道。」按經傳雖不明言惠公無道，但由惠公棄長立桓之邪念（穀梁曰，先君之欲與桓，非正也，邪也。）已見其作風之一斑，既能不正而欲立桓，何不可不正而娶仲子，況此舉如隱公意圖忍讓，魯人諱而不言，經傳必無所記。二曰「左傳文見分明」。按所謂「文見分明」當指左傳「惠公元妃孟子……」一段而言（夫人子氏之下左氏無傳文。）。筆者再三玩索該節傳文，實無若索引所謂「文見分明」者。左氏敍述此事，蓄意諱隱。如言及仲子于歸，僅書歸我，而不明書歸隱，歸惠。文詞間實已暗示仲子歸魯後之尷尬境遇。這種暗示之所以未爲後人所領會，所接受，實在與杜預等對「隱公立而奉之」之釋義互爲因果，此點亦可自另一事件中略窺其端倪：

春秋隱公五年：

考仲子之宮，初獻六羽。

此爲隱公爲仲子別立宮奉祭之文（註五）。吾輩讀此不禁要問，何以隱公爲仲子別立宮廟而奉之？雖然杜預於注中強調：

惠公以仲子手文娶之，欲以爲夫人，諸侯無二嫡，蓋隱公成父之志爲別立宮也。

但莊公有夫人姜氏，夫人風氏（註六）。成公有夫人姜氏，夫人姒氏（註七），而成風，定姒不聞有別宮，蓋莊宮成宮並有二夫人主故也。如隱公只爲成父志，亦於惠宮立二夫人主可矣，當無別立宮之必要。今隱爲仲子別立宮，固爲追成父志，償仲子爲魯夫人之願，實亦未嘗無報「歸魯適己」之私。再者，左傳哀公二十四年：「周公及武公娶于薛；孝、惠娶于商，自桓以下娶于齊。」而獨不列隱公，隱公未娶妻乎？將此三點再與穀梁：「夫人者，隱之妻也。」史記：「息長爲娶於宋。」合而觀之，當不難明白，隱公立後奉仲子爲夫人，乃自然之事。

㈡從「惠公元妃孟子」一段文義觀之：孔仲達以「惠公元妃孟子」一段爲先經以始事，乃本杜註「隱立桓爲太子，率國人奉之」之說，因彼將該段主旨引入「述隱桓來歷之途。

細案本文主旨實述「仲子」爲魯夫人原委，宜作「夫人子氏薨」之傳文看（金其源氏曾謂：「左氏傳端惠公元妃孟子數語，孔序雖謂先經以始事，實即夫人子氏薨之傳文。」唯金氏未詳述其原因。）。如此該段文理脈絡方爲順適，茲分析如下：

「惠公元妃孟子，孟子卒，繼室以聲子生隱公。」述隱公來歷。

「宋武公生仲子，仲子生而有文在其手，曰，爲魯夫人。」述仲子來歷，且與隱公並列敍述，筆法巧妙。

「故仲子歸於我」乃左氏含蓄之筆。

「生桓公而惠公薨。」述仲子歸魯後之境遇。

「隱公立而奉之」一語，上承「故仲子歸於我」爲全文作結，亦爲仲子之尷尬境遇作安排。

總之，「隱公立而奉之」不論就史實、就情理、就文脈言，均應釋之曰：「隱公立後，乃奉仲子爲夫人。」較妥。

四、附　言

或謂果如是，則惠、隱二公豈非皆爲不義之君？

案春秋戰國之際，諸侯多不義之行，篡弒、骨肉相殘者夥矣。若惠公之「奪子妻而妻之」微疵而已。至於隱公，漢書古今人表，將其列爲「下下等愚人」，觀其所爲雖多不智之舉。然隱長當立，而仍使桓處太子之位，復拒羽父殺弟之謀，於「仲子」亦能含蓄而守禮，其性溫良敦厚亦可知矣。（原載建設雜誌二十四卷九期今再修正之）

【註釋】

註一　史記周公世家：「……武王既崩，成王少，在強葆之中。周公恐天下聞武王崩而畔，周公乃踐阼代成王攝行政當國。」

註二　史記周本紀：「……周公行政七年，成王長，周公反政成王，北面就羣臣之位。」

註三　左傳隱公十一年：「……羽父請殺桓公，將以求大宰。公曰：『爲其少故也，吾將授之矣。使營菟裘，吾將老焉。』羽父懼，反譖公于桓公而請弒之。……壬辰，羽父使賊弒公于寪氏，立桓公。」

註四　白虎通曰：「嫡死不復更立，明嫡無二，防篡殺也。」漢儒亦有諸侯一娶九女不再娶之說。

註五　杜注曰：「成仲子宮安其主而祭之……。」

註六　風氏，即成風。乃莊公之妾，僖公之母。雖非莊公元妃，然經書夫人，如文四年「冬十有一月壬寅，夫人風氏薨。」蓋爲僖公之母故也。

註七　姒氏，即定姒。乃定公之妾，哀公之母。

肆　春秋「惠公仲子」正名

讀春秋隱公元年：

秋七月，天王使宰咺來歸惠公仲子之賵。

「惠公仲子之賵，」中之「惠公」，乃隱、桓二公之父，各家絕無異說。至於「惠公」下面之「仲子」前人却有兩種截然不同之說解。

有以「仲子」爲惠母者。如穀梁傳曰：

仲子者何？惠公之母，孝公之妾也。

有以「仲子」爲桓母者，如公羊傳曰：

仲子者何？桓之母也。

前者之理由爲「禮賵人之母則可，賵人之妾則不可，君子以其可辭受之，其志不及事也。」

（註一）此說頗合「正名」（註二）之義。晉范寧注（註三）、唐楊士勛疏承之。楊疏曰：

今穀梁傳以爲孝公之妾，惠公之母者，以文九年秦人來歸僖公成風之禭，彼若兼歸二稔，則先書成風，既經不先書成風，明母以子氏直歸成風稔服而已，成風既是僖公之母，此文正與彼同，故知仲子是惠公之母也。鄭釋廢疾亦云：「若仲子是桓之母，桓未爲君，則是惠公之妾，天王何以帽之，則惠公之母亦爲仲子也。」

楊疏既引鄭氏釋廢疾云：「若仲子是桓之母，桓未爲君，則是惠公之妾，天王何以賵之？則惠公之母亦爲仲子也。」且又舉文九年「秦人來歸僖公成風之稔」爲例，「僖公成風」乃是僖公之母成風，此文正與彼同，「惠公仲子」當亦爲惠公之母仲子，因此據「禮」原「例」似以惠母之說義長，然後之學者却多以桓母爲是，造成此種形式者，除公羊傳爲該說之張本外，其他主要因素有三焉：

一曰由於左傳文字過分精簡，左傳雖未直接闡明仲子爲誰，但有「且子氏未薨」句，語意易被誤解爲未死之桓母仲子。如杜預注孔穎達疏就是如此：

春秋：「秋七月，天王使宰咺來歸惠公仲子之賵。」

左傳曰：「緩，且子氏未薨，故名。……」

杜預注：「子氏，仲子也。薨在二年。」

左傳又曰：「……豫凶事，非禮也。」

杜又注：「仲子在而來賵，故曰豫凶事。」

故孔疏承之謂「生賵仲子」（註四）云云。

二曰以賵妾不「禮」釋孔子之貶意者，亦謂此仲子乃惠妾仲子。如程伊川、胡安國諸先生均作如此說。伊川先生解曰：

……仲子繫惠公而言，故正其名不曰夫人，曰惠公仲子，謂惠公之仲子，妾稱也。以夫人禮賵人之妾，不天，亂倫之甚也。然春秋之始天王之義未見，故不可去天，而名咺以見其不王，王臣雖微不名，況於宰乎。

胡安國傳曰：

咺位六卿之長而名之何也？仲子惠公之妾爾，以天王之尊，下賵諸侯之妾，是加冠於屨，人道之大經拂矣。大宰建邦六典以佐王治邦國而承命以賵是壞法亂紀自王朝始也。春秋重嫡妾之分，故特貶而書名，以見宰之非，前賵仲子則名，家宰後葬成風王不稱天，其法嚴矣。

觀此「惠公仲子」爲「桓母」說，既有公羊爲之本，復有左傳杜注、暨賵妾不禮名咺以寄貶意二說爲之勛，似成不易之論矣。然細加考察，不難發現；一、主張「惠公仲子」爲桓母之公羊說、與左傳之杜預注，彼此已有矛盾在。二、左傳之「子氏未薨」待商榷。三、貶意即使確在「賵妾」，「惠公仲子」亦未必定是桓母。四、在春秋原文中，似亦有明確之迹象顯示出「惠公仲子」之「仲子」乃已死之「惠母」也。茲就此四點分別考述於後：

一、公羊說與左傳杜注之矛盾。

公羊傳曰：

　仲子者何？桓之母也。何以不稱夫人？桓未爲君也。

又曰：

　桓未爲君，則諸侯何爲來賵之，隱爲桓立，故以桓母之喪告於諸侯。

依公羊說，仲子不但爲桓母，且必然已死。如尚未死，隱公何可「以桓母之喪告於諸侯」？但杜注左傳却謂桓母「薨在二年」，更又謂「仲子在而來賵」。故知公羊、杜注雖爲「桓母」說之主角、而兩者却相矛盾。（桓母仲子即二年十二月乙卯日去世之「夫人子氏」。其身分爲惠妾，桓母。見本書「隱公立而奉之」釋義篇。）

二、左傳「子氏未薨」待商榷。所謂「子氏未薨」待商榷者蓋有二義焉：

一曰「子氏未薨」釋義待商榷。杜預以「惠公仲子」爲「桓母」，完全根據左傳之「緩，且子氏未薨，故名……豫凶事，非禮也。」而定。杜注「子氏未薨」既曰「子氏，仲子也。薨在二年」意指子氏此時「未死」。如「未薨」果可釋爲「未死」，則天王生賵「仲子」矣。啖氏（助）曰：「諸侯母在天子寧有生歸其賵乎」？不辨菽麥者猶不當爾，況乎王乎？」生賵仲子依情理言是不可能。對左傳之「緩，且子氏未薨」業師趙阿南先生釋之曰：「緩者，譏不及事也。『且子氏未薨』，言死不書薨也，非謂仲子未死也。成風學論書葬，此不擧論，知死不書薨也。不書薨，則爲妾也。」（見趙老師、左傳稿本講義）故趙老師釋「惠公仲子爲惠公之妾母仲子。左傳之「豫凶事」亦切「緩」字言之者也。

二曰「子氏未薨」是否爲左傳原文待商榷。

清王樹枬左氏春秋僞傳辨曰：

左氏傳曰：「天王使宰咺來歸惠公仲子之賵，緩，且子氏未薨，故名。天子七月而葬，同軌畢至；諸侯五月同盟至；大夫三月同位至；士踰月外姻至。贈死不及尸、弔生不及哀，豫凶事，非禮也。」案此篇當是僞傳，採公羊之說誣左氏以仲子爲桓公之母。其時桓公之母未卒，則生不得賵，所謂豫凶事，非禮也。穀梁則以爲仲子爲孝公之妾，惠公之母，以文九年秦人來歸僖公成風之襚證之是也。鄭氏釋廢疾亦以仲子爲惠公之母，說詳春秋經傳義疏。左氏之文當是天王使宰咺來歸惠公仲子之賵，緩下即接天子七月而葬，同軌畢至；諸侯五月同盟至；大夫三月同位至；士踰月外姻至。僞傳則於其中妄增且子氏未薨故名，賵死不及尸、弔生不及哀，豫凶事，非禮也數語。

王氏謂左傳之「且子氏未薨，故名」暨「贈死不及尸，弔生不及哀，豫凶事，非禮也。」均爲僞傳。非左氏原文。如此則貶「咺」之意全以一「緩」字出之。來賵既「緩」，則必指去世已久之惠母仲子也。故王氏亦以「惠母」之說爲是。

三、貶意即使確在「賵妾」、「惠公仲子」亦未必就是「桓母」如劉敞，葉夢得暨先師趙阿南諸先生均以「惠公仲子」爲惠公之妾母，謂「妾母非王之所宜賵」。

劉敞春秋傳曰：

惠公仲子者何？惠公之母也。母何以不稱夫人，妾母也。其言惠公仲子者何？惠公之母也。母以子貴也。……「天王使宰咺來歸惠公仲子之賵」何以書？譏，何譏爾？妾母而天子賵之，非正也。

葉夢得春秋傳曰：

仲子惠公之妾母也。何以不言夫人？非夫人也。其卒在隱公之世，未嘗致爲夫人也，……宰大宰也。上大夫也。咺，名也。王之上大夫以邑爵見而不名，妾母非王之所宜賵，故咺去邑爵而名，貶也。葉子曰，大宰王之所與治邦國者也。葵丘之會宰周公在焉，春秋擧而加之諸侯之上，所以尊王也。至僖公而以宰周公來聘，蓋已屈矣，若桓公以弒立而宰渠伯糾聘之，則有甚焉，故貶而加名。仲子妾也，而宰咺賵之，則又甚焉，故貶而去邑爵，春秋之用法固有漸也。

觀劉氏「妾母而天子賵之、非正也」暨葉氏「妾母非王之所宜賵，故咺去邑爵而名，貶也。」之說，與程伊川、胡安國之說無異。其謂仲子爲惠母之說復與穀梁同矣。此知貶意即使確在「賵妾」，「惠公仲子」亦未必就是桓母也。

四、就春秋原文「秋七月，天王使宰咺來歸惠公、仲子之賵」看，「惠公仲子」決不可能是仍在人間之「桓母仲子」。考春秋指明所賵，所襚爲誰者，其人必然已葬。如文公五年春秋：「春王正月，王使榮叔歸含且賵。」不指明所賵爲誰，因彼成風於文四年十一月薨（註五），文五年三月葬（註六），文五年正月時尚未葬，不言成風亦可知所賵者誰。本文之所以指明惠公，仲子者，即因惠公仲子薨之已久（註七），若不明言其人，則不知爲誰來賵。再看，春秋文公九年「秦人來歸僖公，成風之襚。」此時僖公薨已十年，成風薨已五年（註八），亦爲年月已遠，故必指明所襚者誰，與此「惠公仲子」正同，所賵之「子氏」此時既安葬已久，不亦明顯告訴世人，必非仍在人間之桓母「子氏」乎？且「僖公，成風」乃僖公暨其母成風，「惠公，仲子」亦當爲惠公暨其母仲子。似乎不應有何疑問。

再說，孝、惠既然均娶于商（子姓）（註九），古時女子之名，以其姓爲主，或配謚，或配字，或直稱某氏，本易重複。如魯莊公娶齊女為夫人，以姓配諡曰「哀姜」。其孫文公亦娶於齊（註十），由於「哭而過市，國人哀之」，故生稱「哀姜」（註十一），如非祖孫相去頗遠，如果史無明確記載，祖孫妻妾均為「哀姜」，豈不又是史書中一筆糊塗賬耶？

總之，桓母「仲子」即「夫人子氏」、薨在隱公二年十二月。隱公元年時，當然尚在。至於「惠公仲子」之「仲子」不論就禮來看，或就春秋、穀梁、公羊、左傳所記所傳看來，都不應該與桓母混為一談。誠如姚刑部所云：「魯仲子之有二也，前後異焉，春秋以為一書歸賵於桓母未亡之時，必不疑於桓母矣；一書考其宮于君夫人子氏薨喪終之歲，必不疑於惠母矣，是以不嫌同稱也」。故知「惠公，仲子」之「仲子」乃惠公母，孝公妾，薨在春秋前。（原刊建設雜誌二十五卷十一期。今再略加修正。）

【注釋】

註一　「天王使宰咺來歸惠公仲子之賵」下之穀梁傳文。

註二　論語子路篇。子曰：「必也，正名乎。」

註三　范寧於經文下注曰：「仲子，子宋姓也。婦人以姓配字，明不忘本。示不適同姓也。妾子為君，賵當稱諡，成風是也。仲子乃孝公時卒，故不稱諡。」又於傳文「母以子氏」之下注曰：「妾不得體君，故以子爲氏，平王新有幽王之亂，遷於成周，欲崇禮諸侯，仲子早卒，無由追賵，故因惠公之喪而來賵之。

註　四　孔穎達疏曰：「正義曰：緩賵惠公、生賵仲子事由於王，非咺之過，所以貶咺者，天王至尊不可貶責，貶王之使，足見王非、且緩賵惠公專是王過，生賵仲子，咺亦有愆。」

註　五　春秋文四年：「冬十一月壬寅，夫人風氏薨。」

註　六　春秋文五年：「三月辛亥，葬我小君成風。」

註　七　惠公之死不知何月。但春秋時、舊君死、新君逾年始稱元年，此時爲隱公元年七月，可知惠公薨必已年餘，惠公之母仲子薨必更早。

註　八　成風于文四年薨。已見註七。

註　九　左傳哀二十四年：「周公及武公娶于薛，孝公娶于商。」

註　十　春秋文四年：「夏，逆婦姜於齊。」

註十一　春秋文十四年：「夫人姜氏歸於齊、大歸也。將行，哭而過市，曰：『天乎，仲爲不道、殺嫡立庶。』市人皆哭。魯人謂之哀姜。」

又魯世家索引曰：「此哀非謚，蓋以哭而過市，國人哀之，謂之哀姜，故生稱哀。」

伍　春秋「君氏」「尹氏」之爭

前　言

隱公三年，春秋左氏經：「夏，四月辛卯君氏卒」，「君氏卒」三字，公羊、穀梁經文概作「尹氏卒」。緣於「君」「尹」一字之差，造成後世對經義絕對不同之解釋，及無窮之爭議，想為孔子始料之所不及也。

然而春秋只有一部，何來「君氏」「尹氏」之別？顯然，「君」「尹」二者，必有一錯。此一問題，筆者僅就「君、尹二字形近易訛」、暨「君氏、尹氏二詞之比較」兩點，已略可體認「君氏」之不妥。更進而從「君氏卒」「尹氏卒」與春秋大義之背合觀之。尤能了然「尹氏卒」切合夫子著春秋之要旨也。

一、「君」「尹」二字形近易訛

春秋三傳經文「君」「尹」之不同，從何而來？清侯康古經說曰：

「君」公、穀作「尹」，云天子之大夫。按左氏親見國史，不應以男子為夫人，乖繆至是，蓋經本作君氏，後字脫其半而成尹。如戰國策以趙爲肖，以齊爲互，周禮司几筵「其柏席用萑」注元謂「柏，椁字磨滅之餘」。君之爲尹，正所謂磨滅之餘也。昭二十年傳：「棠君尚謂其弟員曰」，釋文：「君或作尹」亦其例……。

日人竹添光鴻左傳會箋曰：

君氏，公、穀皆作尹氏。尹氏天子之大夫也。蓋經本作君，後字脫其半而成尹。周禮司几筵其柏席用萑，註謂椁字磨滅之餘。君之爲尹，所謂磨滅之餘也。昭二十年「棠君尚謂其弟員曰」。釋文君或作尹。亦其例。公、穀不知爲殘闕，見春秋時適有尹氏，遂牽合其說耳。

考諸古書，「君」「尹」二字糾纏不清之現象，不僅此處「君氏」「尹氏」有之；昭二十年「棠君尚」釋文作「棠尹尚」有之；另外荀子、新序亦有之，荀子大略篇「堯學於君疇」，「君疇」新序作「尹疇」，吳秘註法言引新序作「君疇」。因此可知「君」「尹」之訛誤，乃此二字形近易訛之普遍現象也。

至於如何訛誤問題，侯氏、竹添光鴻氏以「磨滅之餘」釋三傳經文「君氏」「尹氏」不同之由來，確極中肯，但彼所謂「蓋經本作君，後字脫其半而成尹。」尚有可議之點。案「君」「尹」二字在楷書、小篆或金文（註一）、甲骨文（註二）中「君」較「尹」確實多一口形，然考之說文有「君」「尹」之古文形體各一，情形却與此恰恰相反。「君」之古文作「」，「尹」之古文作「」。因此，如自君與尹之說文古文形體看，「尹」反較「君」之筆畫爲繁，（尹）字脫其「」形與（君）形近矣。且許愼於說文序中自謂左丘明春秋傳以古文書寫。許氏說文序曰：

> 至孔子書六經，左丘明述春秋傳皆以古文。

又曰：

> 又北平侯張蒼獻春秋左氏傳，郡國亦往往於山川得鼎彝，其銘即前代之古文，皆自相似。

雖然，許序「左丘明述春秋傳皆以古文」之「古文」並不能肯定即爲許氏說文所收之「古文」，但亦不能否定其可能性。因此，如就文字形體「磨滅之餘」看，經文似有原作「尹」，後脫其半而成「君」之可能。

二、「君氏」「尹氏」二詞含義之比較

首先應當知道，「君氏」之「君」字非姓。「君」與「氏」字拉在一起，實在是不倫不類。無怪乎錢玄同左氏春秋考證書後云：

> 原本國語既被劉歆挖取其中與春秋有關的一大部分，改成編年之體，作爲「春秋左氏傳」又造爲種種書法凡例。處處故意與公羊傳爲難，則僞造的事實也定必不少。如……

……又如「君氏卒」「齊仲孫湫來省難」之類，乃是爲了要與公羊立異而造的僞事實。

關於錢氏認爲「左傳分自國語」問題是否正確，是另外問題。但「君」與「氏」合成一詞，顯然有僞造之迹。如必將「君」字與「氏」字拉在一起，其義乃必如孔（穎達）氏所謂「君氏者，君之母氏也。」（註一）考國君之母，不稱姓，而稱「君氏」者，春秋無例。左氏自謂「君氏者，聲子也」。聲子不稱其姓而稱「君氏」使人有莫名其妙之感。鄉先賢張爾岐曰：啖氏曰：按例無有改字以爲義者，豈有改其本姓乎？如此時隱公之母實卒，不行夫人禮，亦當如定十五年書姒氏卒。書姓也。劉氏曰，諱姓非義也。特書君氏，又不足明其爲君母，其曰君母氏乃可矣。龜山楊氏曰，聲子而書君氏，是何義理，須當以尹氏爲正。（見張爾岐蒿菴閒話卷一）

然或有以「襄公二十六年，左師見夫人之步馬者，問之，對曰：『君夫人氏也。』」比之（註二）。謂去其「夫人」，即爲君氏矣。此說牽強至極，如去字可爲例，添字亦可爲例矣，如此，則例成何例耶？

反觀「尹氏」則不然，「尹」字爲姓。公、穀同曰：「尹氏者何？天子之大夫也，」春秋對大夫稱其姓氏者夥矣。單就「尹氏」之稱而言，春秋至少三見：除本文外，尚有「尹氏立王子朝」（註五）、「尹氏……以王子朝奔楚」（註六），此外如「齊崔氏出奔衞」（註七）者，亦稱姓，稱氏之實例也。

三、「君氏卒」「尹氏卒」與春秋大義之背合

左傳既曰：「君氏卒。聲子也」。繼之又曰：「不赴于諸侯，不反哭于寢，不祔于姑，故不曰薨；不稱夫人，故不言葬，不書姓，爲公故曰君氏。」案左氏之說，大體是在認定死者就是隱母聲子之前提下分兩層述之者：

第一層，「不赴于諸侯不反哭于寢，不祔於姑，故不曰薨；不稱夫人，故不言葬」：旨在說明對聲子之所以不曰薨，不稱夫人，不言葬之理由。

第二層，「不書姓，爲公故曰君氏」：旨在說明死者既是聲子，何以不書姓（子姓）而稱「君氏」之原因。

就以上兩層看，如死者確爲隱母聲子，第一層解說當然正確。甚至後來杜（預）注之所謂「今聲子三禮皆闕」（註八），以及孔（穎達）疏以「定十五年似氏卒」「哀十二年孟子卒」爲例之解說（註九），以迄清末劉（文淇）氏對該問題本於「禮」之疏證（註十），在在爲聲子之所以不曰薨，不稱夫人，不言葬尋找理論之根據；凡此，在死者確是隱母聲子之前提下也都非常合「禮」。至於第二層解說，即使是在「死者就是隱母聲子之前提下，似乎亦不能自圓其說。

何以言之？且看，左氏既認定「君氏」是聲子。但君不是姓。而何以稱「君氏」？此一關鍵性問題，左氏只有一句「爲公故曰君氏」之解說。我們勢必要問：「爲公，何以必書君氏？」

杜預注曰：

> 不書姓，辟正夫人也。隱現爲君，故特書於經，稱曰君氏。以別凡妾媵。

杜注顯然自相矛盾，杜氏既承認隱公現爲國君，國君之母，依禮不論是適是妾，均爲正夫人，隱母聲子已是正夫人矣，尚避正夫人何？孔穎達已深體此旨，不得不另有說解，故孔氏疏曰：

> 正義曰避正夫人，謂辟仲子耳，何則，妾子爲君，則其母得爲夫人，不須辟仲子也。但公以讓位之故，不從正君之禮，故亦不備禮於其母，使之辟仲子也。釋例曰，凡妾子爲君，其母猶爲夫人，雖先君不命其母，母以子貴……隱以讓桓攝位，故不成禮於聲子，假稱君氏以別凡妾媵，蓋是一時之宜，隱之至意也。是其辟仲子之意。

孔氏之意，一言以蔽之；隱以讓桓，故不成禮於其母，假稱其母曰「君氏」以別凡妾媵，避仲子。然細加探究，仍不免矛盾重重。試想，如果承認隱現爲君，隱母宜直稱夫人，稱子氏，不必遮遮掩掩，因爲既已爲君，即無讓之實，無讓之實，又何能以稱「君氏」表現其「讓」意？如果只承認隱公攝政或攝位，爲隱存心讓桓，不成禮於其母，不稱夫人，不稱子氏，則更不當稱「君氏」。君者國君也；「君氏」者，君之母氏也。如春秋必稱桓母爲「君氏」，豈非肯定隱實爲君耶？隱公雖已實際爲君（本書左傳「隱公立而奉之」釋義篇已論及此點），且終隱之世，桓公僅爲太子而已，然隱公心存仁厚，意在讓桓，從無殺弟廢弟之心，終成篡弒之局而身死（註十一）。如春秋必書「君氏卒」，豈不是造成孔子故意挑明隱公爲君之事實？如此，隱公之讓意安在？如更進一步想，夫子既有意挑明隱公爲君之事實，豈非有意對隱公之譏與貶耶？觀孔子著春秋，意在「善善、惡惡、賢賢、賤不肖……」（註十二），而心存仁厚如隱公者，夫子何能忍心譏之、貶之？因此可知，經文如作「君氏卒」不僅不能「爲公意」，更與孔子春秋大義背道而馳也。

反觀「尹氏卒」。公、穀既同曰：「尹氏者何？天子之大夫也。」公羊繼之又曰：「其稱尹氏何？貶……」此一「貶」字，已點出春秋「明是非，定猶豫、善善、惡惡」之王道精神；亦且說明稱「尹氏」而不名之眞正原因矣。正如宣公十年「齊崔氏出奔衞」。公羊亦曰：「其稱崔氏何？貶……」之情況同。何以言之？因此時「尹氏卒」之「尹氏」，乃百餘年後（昭二十三年），「尹氏立王子朝」而亂國之「尹氏」之先人；宣公十年「齊崔氏出奔衞」之「崔氏」與後世襄二十五年「齊崔杼弒其君光」之「崔杼」相呼應；王厚齊有云：

書尹氏卒，此尹氏立王子朝之始也。書齊崔氏出奔衞，此崔杼弒其君之始也。此事觀之，履霜堅冰之戒明矣，聖人絕惡於未萌必謹其徵。（見王氏困學紀聞）

此尹氏、崔氏之族，皆專橫不臣之世卿也。故夫子假稱姓不名以貶之、譏之。考春秋以不名寓貶譏之意，實不限於大夫；於諸侯亦然，惠士奇曰：

天子之外諸侯嗣也，故卒稱爵。內諸侯祿也，故卒稱氏。其王子弟，則以王子爲氏，或稱其采，則以采爲氏，皆不稱爵。春秋志外諸侯之卒也詳，志內諸侯之卒也略。外諸侯微而不名者凡五：隱七年滕侯，八年宿男，莊三十一年薛伯，僖三十三年杞子，成十六年滕子，皆不名，皆小國。微之故不名。強而不名者惟一，而凡四見焉；成十四年秦伯，昭五年秦伯，定九年秦伯，哀三年春秦伯，皆不名。秦強國也，惟罃稻名，餘皆不名，貶之……內諸侯之強如尹氏，外諸侯之強如秦伯，皆有跋扈不臣之心，故春秋三書尹氏；尹氏卒，尹氏立王子朝，尹氏以王子朝奔楚，四書秦伯，始終貶之而不名，則聖人之情，見乎辭矣。（見日知錄集釋卷四之註釋）

惠氏之語，言之既詳，例證亦極明確，可謂了然聖人之心，明乎春秋之旨矣。跋扈不臣如尹氏、秦伯、崔氏者，以不名貶之，正與夫子著春秋之微言大義合。

然則或謂：「尹氏卒既如上述之善且好，而公、穀之說仍不免備受攻擊者，何？」筆者以爲，此主要在於公羊「貶」字以下傳文之不妥。茲分析如下：

公羊既曰：「其稱尹氏何？貶。」復曰：「何爲貶？譏世卿，世卿非禮也。」宣十年「

「齊崔氏出奔衞」條亦然（註十三）。如此，再加上何休之注曰：

世卿者，父死子繼也。貶去名者。氏者，起其氏也。若曰世世尹氏也。

因而使人意識到，孔子反對卿大夫父死子繼之世爵制度，故引起後世對此之非難，更進而成爲反對公、穀「尹氏卒」者之口實矣。如竹添光鴻反公、穀，是左氏之理論根據即在於此。竹氏謂：

朱大昭曰：公羊云，稱尹氏，譏世卿，世卿非禮也。按封建之世，諸侯世國，大夫世爵，請以禮經證之……若不世爵，無重可傳，亦無重可受，一也。……若不世爵，何得稱嗣子爲君？何爲得臣其室老貴臣？又何爲得例大夫於公？二也。……若不世爵，大夫之子，何得降一等？三也……若不世爵，則大夫不得常三廟，何云世世祖是人？四也……若不世爵，則卿大夫之門子何與於宗伯？五也。

若僅就「君氏卒」「尹氏卒」而言，竹氏反對公、穀之「尹氏卒」，而尊左氏，顯有不當，前已述之矣。但如僅就對「譏世卿，世卿非禮也」之駁斥而言，確極中肯。何以言之？因當時正是周公制「禮」不久，孔子重「禮」、倡「尊王」，對世爵制度，不可能一概反對。當然更知道世卿合「禮」。事實上孔子僅是對跋扈不臣之世家深惡痛絕而已。這正如孔子從未反對君王世襲制，但却對暴君深惡痛絕之情形同。孔子主張「君君、臣臣」（註十四），如君不君，則人人可得而誅之。是故，湯放桀、武王伐紂。夫子許之。又隱四年衞君州吁被弒，春秋書之曰：「衞人殺州吁於濮」。此因衞君州吁不君，故夫子不稱他爲君，而曰「州吁」；不曰弒，而曰「殺」。夫子貶州吁之意溢於言表矣。但亦不得謂孔子反對君主之制。故知春秋書「尹氏卒」者，本意不在「譏世卿」，而在譏跋扈不臣之世卿也。唐徐彥爲公羊作疏之際，似已悟及此旨。徐曰：「詩序云：古之仕者，世祿也；於賢大夫言之也。」已點明賢者當世其祿；不賢者世祿，「譏之」「貶之」可也。公羊當初不察，概以「譏世卿」釋之，復以「世卿非禮也」繼之，顯然不妥。然亦不能據此而否定公、穀「尹氏卒」之合於春秋大義之事實也。

結　語

三傳經「君氏」「尹氏」之爭，不論就任何方面看，均以公、穀之「尹氏卒」爲是爲妥。惟公羊之「譏世卿，世卿非禮也」一語如能改之爲「譏跋扈不臣之世卿，跋扈不臣之世卿非禮也。」如此方更能章明孔子著春秋之大義也。

（原載孔孟月刊十七卷七期今再增修之）

【注釋】

註一　金文君：君夫簋 散盤。

尹：克鼎 毛公鼎。

註二　甲骨文：君，後下十三、二、續存一五〇七。

尹，拾、三、七、前一、五一、六。

註三　正義曰：君氏者，隱公之母聲子也。謂之君氏者，言是君之母氏也。母之與子氏族必異，故經典通呼母舅爲母氏、舅氏，言其與己異氏也。

註四　左傳會箋：「……君者小君也。君氏者，即君夫人氏之誼也。襄二十六年『左師見夫人之步馬者，問之，對曰「君夫人氏也。」』蓋當時有此稱。然則去其夫人卽爲君氏矣。……」

註五　春秋昭二十三年「尹氏立王子朝。」

註六　春秋昭二十六年：「尹氏、召伯、毛伯以王子朝奔楚。」

註七　春秋宣十年：「齊崔氏出奔衛。」

註八　隱三年左傳「君氏卒，聲子也……」杜注：「大人喪禮有三，薨則赴於同盟之國，一也。既葬日中，自墓反虞於正寢所謂反哭于寢，二也。卒哭而祔於祖姑，三也。若此，則書曰夫人某氏薨，葬我小君某氏，此備禮之文也。其或不赴不祔，則爲不成喪，故死不稱夫人薨，葬不言葬我小君某氏，反哭則書葬，不反哭則不書葬，今聲子三禮皆闕。」

註　九　隱三公年左傳「夏君氏卒，聲子也……」孔疏曰：「定十五年姒氏卒，傳曰：不稱夫人，不赴，且不祔也。哀十二年孟子卒，傳曰：死不赴，故不稱夫人，不反哭，故不言葬小君。」

註　十　見明倫出版社出版劉文淇春秋左氏傳舊注疏證頁十八。

註十一　隱十一年。左傳：「羽父請殺桓公，將以求大宰。公曰：『爲其少故也，吾將授之矣。使營菟裘，吾將老矣。』羽父懼，反譖公于桓公而請弑之。……壬辰，羽父使賊弑公于寪氏，立桓公……」

註十二　見史記太史公自序。曰：「夫春秋上明三王之道，下辨人事之紀，別嫌疑，明是非，定猶豫，善善、惡惡、賢賢、賤不肖……」

註十三　宣十年公羊傳曰：「齊崔氏出奔衛，崔氏者何？齊大夫也。其稱崔氏何？貶，曷爲貶？譏世卿，世卿非禮也。」

註十四　見論語顏淵篇。

註十五　隱三年公羊「世卿非禮也。」句下徐疏。

陸　春秋左傳於成五年記事倒錯考釋

成五年春秋：「冬十有一月己酉，天王崩。十有二月己丑公會晉侯、齊侯、宋公、衞侯、鄭伯、曹伯、邾子、杞伯同盟于蟲牢。」

左傳則書作「冬、同盟于蟲牢，鄭服也。諸侯謀復會，宋公使向爲人辭以子靈之難。十一月己酉，定王崩。」

粗視之，以上經、傳所記月、日頗覺錯亂。此一現象、杜預以傳之「十一月己酉、定王崩。」八字爲衍文。杜注曰：

經在蟲牢盟上，傳在下，月倒錯。衆家傳悉無此八字。或衍文。

孔疏承之曰：

正義曰：傳不虛擧經文、此無所明，又上下倒錯，諸家之傳又悉無此言，必是衍文……。

日人竹添光鴻已否定杜說。竹氏左傳會箋曰：

又曰：

定王不書葬，故傳欲見王諡記之也。決非衍文。

先言蟲牢盟及諸侯謀復會者，因上文記子靈之事而終言之，非隨經次而正釋之，故直言冬，以明宋公殺子靈在秋，而不言十二月，傳文本自明白。……（宋公即宋共）

左傳注從之。

案，該處似非衍文，亦非竹添光鴻氏所謂「先言蟲牢盟及諸侯謀復會者、因上文記子靈之事而終言之、非隨經次而正釋之，故直言冬，以明宋公殺子靈在秋……」，細讀左傳自「夏、晉荀首如齊逆女……」至「諸侯謀復會，宋公使向爲人辭以子靈之難。」所記全以晉爲中心之史事，文字且有一貫之勢，管見以爲此處左傳作者可能採以夏正記時之晉史料，而未能全以周正統一之故也。此一問題茲分三點考述於下。一曰周世周正建子，各諸侯國輒自有其正。二曰左傳採各國史料而成書，間有諸正並用之事實。三曰左傳該年記事似有周正夏正並用之可能。

一、周正建子、各諸侯國輒自有其正。

周自武王克商之後，雖頒建子之曆於天下、諸侯朝覲會同用周之正朔，但各諸侯國於其國內輒有不同於周正之曆法在。前賢早有所述、如顧炎武日知錄三正條曰：

微子之命曰：統承三王，條其禮物。則知杞用夏正，宋用殷正，若朝覲會同，則用周之正朔。其於本國，自用其先王之正朔也。

青譚澐春秋日月考曰：

……春秋之世，天子既未能歲頒曆於天下，又不能巡狩以協邦時月，諸侯之國各自爲曆，雖同奉正朔，而曆有不同矣。然亦有不用時王正朔者，如晉正建寅，則用夏正月，宋正建丑，則用商正月，皆不可謂之王正月。（見譚氏春秋日月考卷一）

杜預在春秋左傳後序中明言晉於春秋前（魯隱公元年之前）已用夏正矣。杜氏後序曰：

太康元年三月……會汲郡汲縣有發其界內舊冢者，大得古書，皆簡編科斗文字，發冢者不以爲意……其紀年篇，起自夏、殷、周，皆三代王事，無諸國別也。唯特記晉國起自殤叔，次文侯、昭侯，以至曲沃莊伯。莊伯之十一年十一月、魯隱公之元年正月也。皆用夏正建寅之月爲歲首，編年相次。

總之，周雖頒建子之周正於天下，但各諸侯國於其國內確有不同於周正之曆法在。

二、左傳採各國史料而成書，且間有諸正並用之事實。

左傳記時原則上用建子之周正，但因採各國史料而成書，間有周正、殷正、夏正同時存在之現象，如：

㈠左傳採宋史，用殷正例。

隱六年春秋：「冬，宋人取長葛。」

左傳：「秋；宋人取長葛。」

杜預於經文下注之曰：「秋取冬乃告也。」

孔疏承之。

顧棟高春秋大事表曰：

彙纂曰，經書冬，左傳作秋。杜氏預爲秋取冬告，引八年齊侯告成爲證，其義甚明。劉氏敞謂，左傳日、月與經不同者，多或邱明作書雜取當時諸侯史策，有用夏正者，有用周正者，故經云冬，傳謂之秋，似亦有理。

案，春秋時諸侯惟晉用夏正。先儒謂晉封太原，因唐虞故俗，理或然也。此係宋來告，宋爲殷之後，當用殷正，亦當差一月。

又曰：

趙翼陔餘叢考卷二云：「是宋用殷正也。」

左傳會箋於經文下箋曰：「周之冬，宋之秋矣。非秋取冬告也。」又於傳文下箋曰：「傳內月日，與經不同者甚多。蓋左氏雜取當時諸侯史策，有用夏正者，有用周正者。然則宋人取長葛，經言冬，而傳言秋，其亦兼殷正言之也。」

案，此乃宋事。據以上各家說均認定，經書冬，乃經用周正，傳書秋，因傳採之宋史，記時仍宋史之殷正故也。

(二)左傳採晉史用夏正例

此類例證左傳甚多，茲舉以下四例以明左傳確有採晉史用夏正之事實。

1.左傳僖五年，記晉滅虢事曰：

八月甲子，晉侯圍上陽。問於卜偃曰：「吾其濟乎？」對曰：「克之。」公曰：「何時？」對曰：「童謠云：丙子之晨，龍尾伏辰，鶉之賁賁，天策焞焞，火中成軍，虢公其奔。其九月十月之交乎？丙子旦，日在尾，月在策，鶉火中，必是時也。」

冬十二月，丙子朔，晉滅虢。虢公醜奔京師。

細讀該文「冬十二月丙子朔，晉滅虢。」正應驗卜偃「其在九月十月之交」之預言。知該文開始之「八月甲午」與結尾「冬十二月，丙子朔」左傳作者之敍述，與中間卜偃所述童謠之「九月十月之交」曆正必有異。杜預與該文下注之曰：「周十二月，夏之十月。」即明指該文「十二月」之與「十月」，乃周正、夏正之別，該條採晉史料，「九月十月之交」一仍晉之夏正記時也。

2.僖五年春秋：「春，晉侯殺其世子申生。」

左傳在僖四年：「……十二月戊申、縊于新城。」

杜氏於經下注之曰：「書春從告。」孔疏曰：「傳稱晉侯使以殺太子申生之故來告，實以去年死告稱今年殺，故以今年書也。」

清顧棟高另有高見。顧氏春秋大事表四十八杜氏時日之誤曰：

> 案經書春，不書月數，蓋春二月也。晉用夏正，晉之十二月，爲周之春二月。晉以十二月告，魯史自用周正，改書春耳。杜謂以晉人赴告之日書之，非也。

左傳會箋亦曰：「申生死在四年冬，而經書在五年春，此亦晉用夏正之一證。」

左傳注于左傳該文下注曰：

> 晉用夏正，據周正推之，當爲周正明年二月之二十七日。

總之，該條左傳採晉史，用夏正，前賢言之詳矣。

3.僖十年春秋：「春王正月，晉里克弒其大夫荀息。」

左傳在九年十一月：「十一月里克殺公子卓于朝，荀息死之。」

杜氏於經下注之曰：「弒卓在前年，而以今春書者，從赴也。」孔疏從之曰：「傳於前年甚詳，經以今年書之，明赴以今年弒也。」

顧棟高春秋大事表四十八杜氏時日之誤曰：

案晉之十一月爲周之春正月，是夏正、周正恆差兩月之明驗，傳從晉史，而經自用魯之簡牘爾，正義從杜，謂晉赴以今年弒者，非也。

顧氏明指晉之十一月爲周之春正月，傳從晉史用夏正，而經自用魯之簡牘周正記時也。

4. 僖十五年經：「十有一月壬戌、晉侯及秦伯戰于韓，獲晉侯。」

左傳在九月，「九月……壬戌，戰于韓原……獲晉侯以歸。」

杜於傳「壬戌戰于韓原」下注云「九月十三日」。於「獲晉侯以歸」下注云「經書十一月壬戌十四日、經從赴。」

顧棟高春秋大事年表四十八杜氏時日之誤曰：

案傳之壬戌，即經之壬戌，九月、十一月乃夏、周正之異名爾，杜謂從赴，且以傳之壬戌爲九月十三日，經之壬戌爲十一月十四日，恐相亂，故顯言之，尤非也。其有九月戰，而以十一月敗乎？

左傳注於左傳「壬戌」下明言左傳該處採晉史用夏正。左傳注曰：

壬戌，十四日。經用周正，故爲十一月壬戌；傳乃晉史用夏正，則九月也。

以上所舉左傳採宋史，輒用殷正；採晉史輒用夏正，而未能以周正統一之現象，先賢、時彥多有指陳，可知確爲左傳中所存在之實際問題。

三、左傳成公五年記事似亦有周正夏正並用之可能。

現在將成五年春秋、左傳自「夏」以下之原文錄之於下。春秋：

夏、叔孫僑如會晉荀首于穀。

梁山崩。

秋、大水

冬十有一月己酉，天王崩。

十有二月己丑，公會晉侯、齊侯、宋公、衞侯、鄭伯、曹伯、邾子、杞伯同盟于蟲牢。

左傳：

夏，晉荀首如齊逆女，故宣伯餫諸穀。

梁山崩，晉侯以傳召伯宗。伯宗辟重，曰：「辟傳」重人曰：「待我，不如捷之速也。」問其所。曰：「絳人也。」問絳事焉。曰：「梁山崩，將召伯宗謀之。」問將若之何。曰：「山有朽壤而崩，可若何？國王山川，故山崩川竭，君爲之不擧、降服、乘縵、徹樂、出次、祝幣、史辭以禮焉。其如此而也。雖宗伯，若之何？」

伯宗請見之。不可。遂以告，而從之。

許靈公愬鄭伯于楚。六月，鄭悼公如楚訟，不勝，楚人執皇戌及子國，故鄭伯歸，使公子偃請成于晉。秋八月，鄭伯及晉趙同盟于垂棘（晉地）。宋公子圍龜爲質于楚而歸，華元享之。請鼓譟以出，鼓譟以復入，曰：「習攻華氏。」宋公殺之。

冬，同盟于蟲牢，鄭服也。

諸侯謀復會，宋公使向爲人辭以子靈之難。

十一月己酉，定王崩。

讀此春秋左傳自「夏」以下記事給人兩點啓示：

㈠左傳記事自成一格；如春秋有「秋大水」一條，左氏無傳。垂棘之盟，子靈被殺二事、左傳述之頗詳，而春秋未書。知左傳記事自成一格，所採史料，似與春秋異。

㈡左傳雖亦分條記事，但氣勢頗能一貫，且所記之事亦多以晉爲中心。如，首段寫晉荀首如齊逆女、晉事也。次段寫晉之梁山崩毁，晉侯召伯宗謀商對策之經過，此文不但屬晉事，且敍述詳盡而生動，似晉人手筆。再者，梁山乃晉之梁山，而該文不書曰「晉梁山崩」、而直書「梁山崩」，尤似晉人語。再次段、記許靈公愬鄭伯于楚，鄭伯自楚敗訟歸，請成于晉，及晉趙同盟于晉地垂棘事，此盟晉爲要角溢於言表，且此盟爲後之蟲牢盟之前奏。再次段，寫宋公殺圍龜（子靈）事，此段看似與晉無關，但該文爲末段「宋公使向爲人辭以子靈之難」之張本，亦即爲敍述宋公不擬參加盟會之借口，而插敍於此，以求文字前後互應耳。「冬，同盟于蟲牢、鄭服也。」一段，點出此一包含晉國在內之大盟會招開之緣由。

總之，左傳此處記事自成一格，所記亦多屬晉事（或與晉有關之事）。知此文採之晉史料之可能性頗大。

結語

據以上三點觀之，左傳既有記晉事輒採晉史料、用夏正未能以周正統一之事實，而左傳此處自「夏……」至「……辭以子靈之難。」又有記晉事用晉史之可能。知左傳該處之「夏……六月……冬……」等記時亦有用建子之夏正之可能。姑且依此構想，將春秋、左傳此一時期記時狀況，列表於後：

春秋記時（周正）	周正建子月名		夏正建寅月名	左傳記時（左傳記時原則亦用周正，因該處間用夏正，故如此列表以便瞭解。）

夏叔孫僑如，……

秋大水（未書月日）

冬十有一月己酉，天王崩。

十有二月，…同盟于蟲牢。

正月	子	十一月
二月	丑	十二月
三月	寅	正月
四月	卯	二月
五月	辰	三月
六月	巳	四月
七月	午	五月
八月	未	六月
九月	申	七月
十月	酉	八月
十一月	戌	九月
十二月	亥	十月

夏晉荀首如齊……

六月，鄭悼公如楚……

秋八月，鄭伯及晉……

冬，同盟于蟲牢，鄭服也。

晉史
夏正

十一月己酉，定王崩。——周事用周正與前文夏正之月名次第合，左傳作者不疑而書此。

試觀此表，略可看出春秋記「天王崩」於蟲牢盟之前而左傳將「十一月己酉，定王崩」八字列於「蟲牢盟」後者，似由於春秋全用周正，左傳自「夏……」至「……辭以子靈之難。」採之晉史料，用建寅之夏正，而「十一月己酉，定王崩。」仍用周正所造成。因周正之十有二月，即夏正之冬十月，而周正十一月（定王崩）之月名巧與夏正之冬（十月）次第合，左傳作者不疑，乃將周正之「十一月己酉，定王崩。」書之於夏正之「冬，同盟于蟲牢……」之後也。

柒　左傳鄭「曼伯」「檀伯」釋疑

春秋記鄭事無「曼伯」「檀伯」。左傳「曼伯」三見，「檀伯」僅一見。玆開列如下：

曼伯：

1.隱五年：「鄭祭足、原繁、洩駕以三軍軍其前，使曼伯與子元潛軍軍其後。」

2.桓五年：「鄭子元請爲左拒以當蔡人、衞人……曼伯爲右拒。」

3.昭十一年：「鄭京、櫟實殺曼伯。」

檀伯：

桓十五年：「鄭伯因櫟人殺檀伯而遂居櫟。」

就以上各條看，左傳對「曼伯」「檀伯」雖乏詮釋，但亦無何淆亂，唯後人釋解矛盾百出，乃造成二者混淆不清，迄今未成定案耳。

考「曼伯」與「檀伯」相糾纏，自杜預始，杜預於左傳桓十五年「鄭伯因櫟人殺檀伯而遂居櫟」下注曰：「檀伯鄭守櫟大夫」於左傳桓五年「曼伯爲右拒」下註曰：「曼伯檀伯也。」

」孔（穎達）疏繼之曰：「正義曰：十五年傳曰『鄭伯因櫟人殺檀伯』昭十一年傳曰『鄭京、櫟實殺曼伯』知一人也。」故「曼伯」「檀伯」混爲一談矣。後之學者繼之者夥，如馮繼元春秋名號歸一圖，卽將「檀伯」歸於「曼伯」下。俞樾群經平議亦曰：

昭十一年傳曰：「鄭京、櫟實殺曼伯」，槪曼與檀本疊韻字，莊子至樂篇「澶漫爲樂」，史記司馬相如傳：「案衍壇曼」是也。檀伯之爲曼伯，前後異文，亦猶薳氏之爲蔿氏，鍼氏之爲箴氏矣。隱五年傳：「鄭祭足、原繁、洩駕以三軍軍其前，使曼伯與子元潛軍軍其後。」又曰：「二公子以制人敗燕師于北制。」杜注：「二公子，曼伯、子元。」是曼伯者，莊公之子也，而於此傳乃止云「守櫟大夫」何邪？……昭十一年傳曰：「鄭京、櫟實殺曼伯；宋蕭、亳實殺子游；齊渠丘實殺無知；衞蒲、戚實出獻公。」獻公乃衞君，卽子游與無知亦嘗居君位，若曼伯止是櫟邑大夫而非親公子，安足與之並論邪？

俞氏踵杜、孔，且以「曼」「檀」疊韻以證「檀伯」爲「曼伯」，此說似不可破矣。但在杜預之前已有以「檀伯」爲「子元」者，如東漢鄭衆云：「子元卽檀伯也。」（註一）又韋昭於國語楚語「昔鄭有京、櫟」句下解曰：

櫟，鄭子元之邑。魯桓十五年「鄭厲公因櫟人殺檀伯，遂居櫟」檀伯，子元也。

鄭衆、韋召均以「檀伯」爲子元；杜預、俞樾等以「檀伯」爲曼伯。此二說與左傳所記史實成強烈矛盾。左傳隱五年曰：「使曼伯與子元潛軍軍其後。」又桓五年曰：「鄭子元請爲左拒……曼伯爲右拒……」知左傳記「子元」「曼伯」爲並列之二人，且鄭每出兵二人常並肩作戰。子元、曼伯能均爲檀伯乎？再者，劉炫亦曾以子元、曼伯爲一人（註二），其說誤謬自不待言。更進一步言，以「檀伯」爲「曼伯」爲「子元」均與史實不合。玆分別考之如下：

一、「檀伯」非「子元」

考鄭衆、韋召以「檀伯」爲「子元」，蓋均牽合左傳昭十一年「鄭莊公城櫟而寘子元焉，使昭公不立。」暨左傳桓公十五年「鄭伯因櫟人殺檀伯而遂居櫟。」之文而立說也。實際「子元」乃厲公字，顧炎武左傳補注即主此說。俞樾、竹添光鴻更從厲公名突字子元之文字意義關聯上，亦證明子元乃厲公之字。

俞樾群經平議曰：

以子元爲厲公字，於傳雖無所證，惟古人名字必相應，漢書刑法志曰：「是猶以鞿而御駻突。」師古注引如淳曰：「突，惡馬也。」鄭厲公名突而字子元者，元或軏字之省邪？

竹氏左傳會箋曰：

突，出貌。詩曰：「突而弁兮。」元，首也。厲公名突。蓋取首出萬物之義，故字之曰子元。

再者，從史實看，「子元」亦當爲厲公字。左傳昭十一年曰：

鄭莊公城櫟而寘子元焉，使昭公不立。

考當年擁櫟而自重，曾威脅昭公使其不立者，厲公也。惟厲公有自櫟侵鄭，昭公出而厲公始入之事實。清馬宗璉左傳補注「鄭莊公城櫟而寘子元焉」下注云：

疑子元卽厲公字，當日實有自櫟侵鄭之事，昭公出而厲公始入，故曰「使昭公不立」。

更從另一角度看，厲公與昭公勢不兩立，左傳、史記記之極詳，如子元果爲檀伯，子元既使昭公不立，顯然亦與昭公爲爭國之政敵也。厲公站在既屬兄弟又屬共同利益上，未必會殺檀伯。

總之，檀伯僅爲「守櫟大夫」，非子元也。子元乃厲公之字，今日蓋成定論矣。

二、「檀伯」非「曼伯」

據前所引，俞樾雖同意，而且從音韻上加强杜氏「曼伯」卽「檀伯」之說，但同時俞氏亦看出杜氏以「檀伯」爲「曼伯」爲「親公子」，而又以之爲「守櫟大夫」之自相矛盾，據「鄭京、櫟實殺曼伯」上下文看，曼伯果爲一守櫟大夫，的確不足與下文子游、無知之爲國君者抗。

筆者案，檀、曼雖爲疊韻字，古時偶可通用，但此處並不一定非視爲「前後異文」之同一名詞不可。日人竹添光鴻對此有所辯解，竹氏左傳會箋於左傳「鄭京、櫟實殺曼伯」下箋曰：

曼伯自曼伯，檀伯自檀伯。杜合爲一人，謬也。下文蕭亳、渠丘、蒲戚之屬，皆謂以大邑亂其國弒其君者，若夫檀伯則特一邑大夫耳，其死未足爲大變，而與子游、無知、獻公皆國君者並稱乎？

近人鄭良樹君春秋史考辨曰：

左昭十一年傳云：「鄭莊公城櫟而寘子元焉。」子元，厲公突也。莊公封厲公於櫟，櫟之於厲公，猶蒲之於重耳，屈之於夷吾，方昭公卽位之際，以爲櫟不可無親近者以鎭撫之，乃使檀伯守之，不知櫟人懷於厲公，厲公因之而殺檀伯，且入居焉。俞樾云：「厲公立，又爲祭仲所不容，出之而立昭公。昭公既立，以櫟爲厲公舊邑，不可無親公子以鎭撫之，因使曼伯居櫟，乃厲公因櫟之舊人殺曼伯而居其地。」俞樾此說，蓋得其事實，唯以曼伯爲檀伯，以檀伯爲親公子，則失考。竹氏、鄭氏說是。檀伯既非子元，亦非曼伯，尤非鄭親公子，杜預所謂「檀伯，鄭守櫟大夫也。」其說甚是。蓋檀伯乃鄭昭公心腹，爲之守櫟者也。然而曼伯者誰？此爲本文重點所在，玆特爲考述如下。

三、「曼伯」者誰？

曼伯究爲何人？除前述杜預等以「曼伯」爲「檀伯」者外，竹添光鴻左傳會箋有云：

曼伯卽昭公之字，古人名字相配，必有其義。忽，疾也，速也。曼，延也，長也。延、長與疾、速義正相反，名忽字曼伯，蓋取相反者爲義，與鄭豐卷字子張一例。（見隱五「使曼伯與子元潛軍軍其後」箋。）

竹氏以「曼伯」爲昭公忽之字，雖在「忽」「曼」二字意義相反上有關聯，但與史實不合。鄭昭公乃高渠彌所殺，且爲私人恩怨而萌殺機。事見桓十二年左傳，故此說不可採。阮芝生杜註拾遺謂曼伯爲子儀，春秋左傳註亦以此說可信。昭十一年「鄭京、櫟實殺曼伯」句下春秋左傳注曰：

阮芝生杜註拾遺謂曼伯卽子儀，據莊十四年傳文，可信。

但春秋左傳注於桓五年「曼伯爲右拒」下却又注之曰：「曼伯公子忽之字。」而春秋左傳注並未特別說明桓五年之曼伯與昭十一年之曼伯爲二人。可見春秋左傳注對曼伯者誰，仍在猶豫而未能決。管見以爲阮（芝生）說是實，曼伯乃子儀。理由有四：

一曰：鄭厲公自櫟侵鄭假傅瑕手殺子儀，左傳記事明確。

考鄭莊公諸子爭國，得爲君者，卽昭公忽、厲公突、公子亹、鄭子（子儀）也。唯厲公據櫟曾先後對昭公、子亹、鄭子構成威脅。先使昭公不立，見桓十一年左傳。繼則使子亹不得不會齊侯於首止，而被殺於齊。左傳桓十八年曰：

> 秋，齊侯師于首止，子亹會之，高渠彌相，七月戊戌齊人殺子亹。

史記齊世家曰：

> 子亹自齊襄公爲公子之時，嘗會鬥相仇。及會諸侯，祭仲請子亹無行。子亹曰：「齊强而櫟公居櫟，卽不往，是率諸侯伐我，納厲公，我不如往。往，何遽必辱？且又何至是！」卒行。

由齊世家知子亹原不宜會齊，但基於外有强齊，而內有厲公居櫟，不得不往耳。然昭公、子亹均不得謂爲厲公殺，因二公子之見殺均非厲公之謀也。子儀則不然，左傳莊十四年曰：

> 夏……鄭厲公自櫟侵鄭，及大陵，獲傅瑕。傅瑕曰：「苟舍我，吾請納君。」與之盟

而舍之。六月甲子，傳瑕殺鄭子及其二子，而納厲公。

鄭子卽子儀，鄭子之被殺乃基於厲公之「盟而舍之」，實卽厲公謀而殺之也。故據「鄭京、櫟實殺曼伯」言，「曼伯」者鄭子也。

二曰：據左傳、國語記事看，已明言曼伯就是鄭子。

考楚靈王城陳，蔡、不羹，欲以壯大國力，向申無宇請教事，左傳、國語均有所記。左傳昭十一年曰：

楚子城陳、蔡、不羹。……王曰：「國有大城，何如？」對曰：「鄭京、櫟實殺曼伯；宋蕭、亳實殺子遊；齊渠丘實殺無知，若由是觀之，則害於大國，末大必折，尾大不掉，君所知也。」

國語楚語上則曰：

靈王城陳、蔡、不羹。……使僕夫子晳問於范無宇（註三）曰：……對曰：「其在志也，國爲大城，未有利者。昔鄭有京、櫟，衞有蒲、戚，宋有蕭、蒙，魯有弁、費，齊有渠丘，晉有曲沃，秦有徵、衙。叔段以京患莊公，鄭幾不克，櫟人寔使鄭子不得其位。衞蒲，戚寔出獻公……。」

細讀以上左傳、國語所記，內容同而文字稍異耳。左傳寫范無宇之言，每舉一例，一句完成。國語則分兩層寫。如左傳寫「鄭京、櫟實殺曼伯」事一氣完成，國語則先寫「昔鄭有京、櫟、衞有蒲、戚……」等等，然後再寫「叔段以京患莊公，鄭幾不克，櫟人實使鄭子不得其位。」以補足上文「昔鄭有京、櫟」；寫「衞蒲、戚實出獻公」以補足上文「衞有蒲、戚」。如此，則形成如下之情勢：

左傳寫：

鄭有京、櫟，實殺曼伯。

國語寫：

昔鄭有京、櫟，叔段以京患莊公，鄭幾不克；櫟人實使鄭子不得其位。

將左傳、國語兩兩對稱看，則明白顯示，左傳之「曼伯」，國語之「鄭子」，一也。

三曰：以「曼伯」爲子儀，與左傳、史記、國語等記事無衝突。

考子儀爲莊公子，曾居君位，常與兄弟子元並肩作戰等等，均與左傳、史記、國語所記史實無衝突。左傳「鄭有京，櫟，實殺曼伯」等前已言之。再如桓五年鄭伯（莊公）與周天子戰，左傳記之曰：

鄭子元請爲左拒，以當蔡人、衞人，爲右拒，以當陳人，曰：「陳亂，民莫有鬥心，若先犯之，必奔。王卒顧之，必亂。蔡衞不枝，固將先奔。既而萃於王卒，可以集事。」

從之。曼伯爲右拒，祭仲足爲左拒，原繁、高渠彌以中軍奉公，爲魚麗之陳……。

據左傳該文所述，知此戰鄭方參與之重要人物除鄭莊公外，尙有鄭子元（公子突），曼伯（子儀）、祭仲足、原繁、高渠彌等，而無太子忽。再看史記鄭世家記此戰曰：

莊公不朝周，周桓王率陳、蔡、虢、衞伐鄭。莊公與祭仲、高渠彌發兵自救，王師大敗……。

鄭世家記此戰亦未云太子忽與戰。知「曼伯」非太子忽，當然，或有人質問筆者曰：「史記未書太子忽，亦不能否定太子忽實際參與戰爭。」所言雖是，但管見以爲太子忽身份高於祭仲、高渠彌，且太子忽以擅戰出名，如果此戰參加，史記必有所記。如桓六年，卽鄭莊公戰周王之次年，鄭派兵救齊之戰，左傳，史記對太子忽均大書特書。左傳曰：

北戎伐齊，齊使乞師于鄭，鄭太子忽帥師救齊。六月，大敗戎師，獲其二帥大良、少良……。

鄭世家記此戰曰：

三十八年（註四），北戎伐齊，齊使求救，鄭遣太子忽將兵救齊。齊釐公欲妻之……。

總之，以曼伯爲子儀與各史書所記無衝突。

四曰：「曼」「儀」二字，意義亦有關聯。

考古人名、字輒有意義之關聯性。竹添光鴻以「忽」「曼」相反爲義判定「曼伯」乃公子忽之字。而「曼」「儀」二字意義亦有關聯，唯非相反爲義耳。

曼，美也。漢書司馬相如傳：「鄭女曼姬」注：「文穎曰：『曼者，言其色理曼澤。』」楚辭天問：「平脅曼膚」。儀，容止也。詩邶風柏舟：「威儀棣棣」疏：「儼然之威，俯仰之儀」疏又引論語左傳。論語曰：「君子正其衣冠，尊其瞻視，儼然人望而畏之。」左傳曰：「有威而可畏謂之威，有儀而可象謂之儀。」

總之，曼、儀均與面貌容止有關，曼伯字子儀，頗與厲公名突字子元情況近。

結論

總上所述，堪可認定「檀伯」乃「鄭守櫟大夫」，昭公親信，昭公即位之初，使之守厲公之舊邑櫟者也。「曼伯」乃鄭子，厲公侵鄭假傅瑕所殺者也。「子元」乃厲公之字，鄭莊公城櫟所寘者也。

（原刊孔孟月刊二十三卷第一期今略修正之）

【註釋】

註一　見左傳昭十一年「鄭莊公城櫟而寘子元焉，使昭公不立。」下孔疏引。

註二　見左傳昭十一年「鄭莊公城櫟而寘子元焉，使昭公不立。」下孔疏引。

註三　韋昭解曰：「范無宇，楚大夫芋尹申無宇也。」

註四　鄭莊公三十八年。

捌　從春秋左傳記時差異看二者之關係

春秋輒與左氏、公羊、穀梁三傳相提並論。穀梁、公羊純爲解經而作，蓋古今無異說。左氏雖可釋經，但是否爲解經而發，說頗紛紜。主爲解經者，史記、漢志早有其說（註一），故自劉（歆）（註二）、杜（預）（註三）以降，代不乏人。主非爲解經者，自西漢博士謂「左氏不傳春秋」之後，如王（接）（註四）、啖（助）（註五）等人早有所述，及近代劉逢祿（註六）、康有爲（註七）、崔適（註八）諸君議論尤烈。筆者無意故作續貂之擧，但細讀春秋左傳，發現春秋左傳記時彼此顯著差異處，達三十七例之多，而左傳對此類差異之釋解却極少，少到幾乎沒有，不能不另人懷疑，左傳是否專爲釋經而發耶？

茲將春秋、左傳記時顯著差異者表列如下：

編號	公	年	春秋（經文）	左傳	備考
1	隱	三	春王三月庚戌天王崩。	三月壬戌平王崩。	
2		六	冬宋人取長葛。	秋……。	
3	桓	七	夏穀伯綏來朝。	春……。	
4	莊	八	十有一月，癸未齊無知弑其君諸兒。	冬十二月……。	
5	僖	五	春晉侯殺其世子申生。	四年十二月戊申……。	
6		八	冬十有二月丁未天王崩。	七年冬閏月……。	
7		十	春王正月……晉里克弑其君卓及其大夫荀息。	九年十一月……。	
8		十一	春晉殺其大夫平正父。	十年冬……。	
9		十五	十有一月壬戌晉侯及秦伯戰于韓，獲晉侯。	九月壬戌……。	
10		十七	冬十有二月乙亥齊侯小白卒。	冬十月乙亥……。	
11		廿四	冬晉侯夷吾卒。	廿三年九月……。	

12	文	二	三月乙巳及晉處父盟。	夏四月……。
13		三	夏五月王子虎卒。	夏四月乙亥……。
14		九	二月晉人殺其大夫先都。	正月乙丑……。
15		十四	九月齊公子商人弒其君舍。	七月乙卯……。
16	成	二	八月庚寅衞侯速卒。	九月……。
17		六	二月衞孫良父帥師侵宋。	三月……。
18		十	五月……丙午晉侯獳卒。	六月丙午……。
19		十六	六月晉侯使欒黶來乞師。	四月……。
20		十八	春王正月晉殺其大夫胥童。	十七年閏十二月乙卯……。
21	襄	二	六月，庚辰鄭伯睔卒。	七月庚辰……。
22		三	六月……戊寅叔孫豹及諸侯之大夫及陳袁僑盟。	秋……。
23		六	十有二月齊侯滅萊。	十一月……。
24		九	十有二月己亥同盟于戲。	十一月己亥……。
25		十	春公會晉……會吳于柤。	春會于柤，會吳子壽夢

				也。……夏四月戊午會于相。
26		十九	秋七月辛卯齊侯環卒。	夏五月壬辰晦……。
27		廿五	秋八月己巳諸侯同盟于重丘。	秋七月……。
28		廿七	冬十有二月乙亥朔日有食之。	十一月乙亥……。
29		廿八	十月二月甲寅天王崩。	十一月……癸巳……。
30	昭	八	冬十月壬午楚師滅陳。	冬十一月壬午……。
31		十二	五月葬鄭簡公	六月……。
32		十三	夏四月楚公子比自晉歸于楚，弒其君虔于乾谿。	夏五月……。
33		廿二	六月……劉子單子以王猛居于皇。	秋七月戊寅……。
34		廿二	秋劉子單子以王猛入于王城。	冬十月丁巳……。
35		廿二	冬十月王子猛卒。	十一月乙酉……。
36	定	元	三月晉人執宋仲幾于京師。	正月……庚寅裁……乃執仲幾以歸。三月歸諸

37	哀	十六	春王正月己卯衞世子蒯聵自戚入于衞，衞侯輒來奔。	十五年閏十二月……。京師。

以上計三十七例，春秋、左傳間在書時上均有數日或數月之顯著差異，而左傳對此僅有疑似釋經者四例而已。所謂疑似釋經者何？茲分別述之如下：

甲、左傳原無釋經之意，所謂釋經乃後人之說者二。

一

僖五年春秋：「春、晉侯殺其世子申生。」

左傳書該條於僖四年十二月戊申日之下曰「縊于新城。」左傳於五年春又有「晉侯使以殺申生之故來告。」之語。杜預於該文下注之曰：「釋經必須告乃書。」案，「晉侯使以殺申生之故來告」一語，考其文意、筆法，乃左傳敍述晉侯使以殺申生之故告魯之史實之語，且爲其下文「初，晉侯使士蔿爲二公子築蒲……」一段作張本。與「釋經」未必有何瓜葛也。

二

昭十二年春秋：「五月葬鄭簡公。楚殺其大夫成熊。」

左傳書楚殺成熊在葬鄭簡公前，且曰「六月，葬鄭簡公。」

竹添光鴻左傳會箋曰：

其實殺成熊在四月，經赴至而後書之，故在葬簡公之後，傳欲明其實，故載之于以齊侯出之次，然後書「夏六月葬鄭簡公」，以釋經從告之例……。

案，左傳該處記時自成一格而已，未必有「釋經從告」之意在。

乙、左傳確有釋經之言，但此「釋經之言」未必為左傳之文者二：

一

隱三年春秋：「春王三月庚戌天王崩。」

左傳「三月壬戌平王崩，赴之庚戌，故書之。」

案，左傳「赴以庚戌故書之」確似釋經之言，但以干支計算，壬戌、庚戌既均在三月，庚戌必在壬戌前十二日。平王既以壬戌死，何以提前十二日赴告於諸侯？令人費解。杜預于經文下注曰：「實以壬戌崩，欲諸侯之速至，故遠日以赴。春秋不書實崩日而書遠日者，即傳其僞以懲臣子之過也。」果如此，除造成史實之混亂外，實無何義意。此與宣公二年趙穿弒君而經書「趙盾弒其君夷皋」者異。一則經本史狐之筆，二則趙穿弒君，盾為正卿，反不討賊，盾實有罪。經書「趙盾弒君」；意在定趙盾之罪，以為後之臣子戒。其懲趙盾之罪意極名顯。今「傳其僞以懲臣子之過」其「懲」與「過」均不明顯。關於此一問題，清王樹枏有云：

案，傳其僞何以懲臣子之過？過在僞，不得謂臣子之過也。孔子因舊史之文以作春秋時，距隱公之世年代久遠，雖傳聞庚戌非實崩之世，亦不敢改正，以違魯史之舊，所謂名聞闕疑也。今删「故書之」三字。（見王氏稿本左氏春秋僞傳辨十一頁。文海出版社影印出版）

王氏所謂「過在僞，不得謂臣子之過也。」既左傳「故書之」三字删除，見解獨到。又劉逢祿左傳考證對左傳「赴以庚戌故書之」亦曰：「此類皆無稽之言。」知左傳「赴以庚戌故書之」似非左傳原文。如該文非左傳原文，則左傳該條無釋經之言矣。

二

襄二十八年春秋：「十有二月甲寅，天王崩。」

左傳：「十一月……癸巳，天王崩。未來赴，亦未書，禮也。」

左傳於該年最後十二月下又有「王人來告喪，問崩日，以甲寅告，故書之，以徵過也。」

案，就此左傳兩段內容言，確似爲釋經何以不書「十一月癸巳天王崩」而書「十有二月甲寅天王崩」而發。但以赴告視春秋，是否爲春秋本義待商榷。上表所列三十七例中，杜預多以「從告」「從赴」釋之，考之多屬不確（註九），又劉逢祿春秋考證曰：「以赴告之文視春秋，宜乎經可續也。」（註十）再者左傳爲後人附加者甚夥，王樹枬曰：

傳曰：「癸巳天王崩未來赴，亦未書，禮也。」「王人來告喪，問崩日，以甲寅告，故書之，以徵過也。」案「未書」何關於禮？以甲寅赴喪焉得不書？此皆僞傳所加之辭，宜將上「未書，禮也。」「故書之，以徵過也。」二語刪去。（見王氏左氏春秋僞傳辨二六五頁）

如依王氏之言，刪去左傳「未書，禮也。」「故書之，以徵過也。」則左傳該條亦無釋經之義矣。

結　語

本篇表列春秋、左傳書時明顯差異計三十七例，其中左傳確有釋經記時何以與左傳相異者惟隱三年、襄二十八年兩條而已，且又有非左氏原文之可能，其餘三十五例，無一語以釋經，亦不可能全爲春秋左傳成書之後，因傳抄等訛誤所造成，基於以上之事實，吾人似可得一概念，左傳誠然非爲釋經而發也。如左傳作者當初一手持春秋，一手爲春秋而作傳（左傳），對本文所列三十餘處春秋、左傳書時概差數日、數月不等之事實，必然一一作明確之交待也。

附言

雖然左傳不必一定爲釋春秋而成書，但左傳仍不失爲釋春秋之最佳著作。誠如桓譚新論

（註十二）所謂：「左傳于經，猶衣之表裏，相待而成。經而無傳，使聖人閉門思之十年，不能知也。」

（原刊於中華文化復興月刊第十七卷八期發表今再條訂之）

【注釋】

註一　史記十二諸侯年表云：「魯君子左丘明懼弟子人人異端，各安其意，失其眞，故因孔子史記，具論其語，成左氏春秋。」

漢書藝文志云：「周室既微，載籍殘缺，仲尼思存前聖之業，乃稱曰：『夏禮吾能言之，杞不足徵也；殷禮吾能言之，宋不足徵也。文獻不足故也，足則吾能徵之矣。』以魯周公之國，禮文備物，史官有法，故與左丘明觀其史記，據行事，仍人道，因興以立功，就敗以成罰，假日月以定曆數，藉朝聘以正禮樂。有所褒諱貶損，不可書見，口授弟子，弟子退而異言，丘明恐弟子各安其意，以失其眞，故論本事而作傳，明夫子不以空言說經也。」

註二　劉歆引傳文以解經。漢書劉歆傳曰：「歆治左氏，引傳文以解經，轉相發明。由是章句義理備焉。」

註三　杜預春秋序曰：「左丘明受經於仲尼，以爲經者不刊之物也，故傳或先經以始事，或後經以終義，或依經以辯理，或錯經以合異，隨義而發。」

註四　王接（晉人）曰：「左氏辭義贍富，自是一家，不至爲經發。」（朱彝尊經義考卷一六九。）

註　五　啖助著有春秋集傳和春秋統例。今皆亡失。其遺說保存在其弟子陸淳編纂之春秋集傳纂例中。請參閱朱彝尊經義考。

註　六　劉逢祿以左傳爲左氏春秋，與晏子春秋等同觀。劉氏左氏春秋考證曰：「左氏春秋猶晏子春秋呂氏春秋也。直稱春秋太史公所據舊名也。冒曰春秋左氏傳則東漢以後之以訛傳訛者矣。」

註　七　康有爲以爲左傳可能分自國語，說見康氏新學僞經考。

註　八　崔適說踵康有爲，說見崔氏史記探源、春秋復始。

註　九　本文所列經、傳書時差異計三十七，杜預以「從告」「從赴」釋之者近半（十五例）。此類經、傳書時差異，實乃由於經用周正，左傳採各國史料而成書，因各諸侯國輒自有其曆，自有其正（如晉用夏正，宋用殷正。），左傳成書時未能全以周正一之，非全因經從告從赴也。見前篇春秋左傳書時差異探源。

註　十　見劉氏左氏春秋考證對左傳僖二十四年「不書不告入也」之考證。曰：「『不書不告入也。』不書亦不告也。證曰：以赴告之文視春秋，宜乎經可續也。」

註十一　此書已佚，嚴可均全後漢文有輯本。

玖　春秋「杞」「紀」錯訛之商榷

前　言

杞、紀，古之小國也。史遷雖有陳杞世家，但記杞之正文，僅二百七十八字。於文末且曰：「杞小微，其事不足稱述。」於「紀」更屬闕如。如基此一念，筆者在此似亦不必多費筆墨。然「杞」「紀」事小，而影響春秋之完整事大。春秋爲孔子重要著述，但卻曾爲人譏之曰「斷爛朝報」。展讀春秋，雖非處處斷爛，但確有斷爛處。然此等斷爛，本非春秋原貌，乃多因後世之錯訛所造成。若「杞」「紀」屢見於經傳，而時有混淆不清之現象，即其例也。至於杞、紀相互錯訛之現象，近代學者輒以「同音通假」釋之。按紀、杞於古文字中固可同音通假，但春秋經傳，輒因杞，紀一字之差，造成經義、史實重大之差異。故不可不察也。如：

一、隱四年、春王三月，莒人伐杞取牟婁。

二、桓二年，秋七月，杞侯來朝。

三、桓三年、六月、公會杞侯于郕。

四、桓十二年、夏六月壬寅，公會杞侯，莒子盟于曲池。

以上四「杞」字，均可能爲「紀」字之誤，其訛誤之共同因素，乃杞、紀二字形音過於接近：杞，紀，說文所收小篆作杞，紀。「杞」之於「紀」除左上角形體略異外，其餘完全相同。又說文：杞，枸杞也。从木，己聲（杞，今本字典作杞，十三經注疏作杞，說文作杞，即杞）。紀，別絲也。从系，己聲。知杞，紀皆从己聲。釋文：己音紀，又音杞。杞、紀二字形音既如此相近，於傳抄，口授之際，當易混淆也。如詩終南「有紀有堂」，白帖引作「有杞有堂」。「紀」訛爲「杞」矣。

杞、紀除以上共同之訛誤因素外，茲就其他因素，分別辨明於下：

一、「莒人伐杞取牟婁」之商確

春秋隱四年，莒人伐杞取牟婁。

「莒人伐杞取牟婁」一語，三傳以降，未有疑其訛誤者，惟清沈欽韓氏頗疑莒人此時所伐者「紀」而非「杞」也。沈氏曰：

按杜以爲杞卽都淳于。然州公亡國後，僖十四年，杞爲淮夷所病，遷緣陵，始在齊東境，淮夷在徐方，若杞先都淳于，無由爲淮夷所病。疑杞此時尚在雍丘。此莒人伐杞，杞乃紀之誤。（註一）

沈氏觸覺銳敏，給筆者極大之啓示，惜沈氏未能詳考其原委耳。茲爲瞭解春秋該條訛誤之眞象，必要辨明二事：一曰莒人伐取之牟婁何在？二曰此牟婁於隱四年莒人伐取之前爲何國所有？

㈠莒人所伐取之牟婁何在？

談到牟婁之地理位置，由於該條左氏無傳，穀梁所傳未及於此（註二），公羊僅有「牟婁者何？杞之邑也。」一語而已。故欲知莒人伐取之牟婁何在，必求之於三傳後之各家說：

1、杜預於「莒人伐杞取牟婁」之下注之曰：「牟婁杞邑。城陽諸縣東北有婁鄉。」

案：城陽，漢文帝時封朱虛侯章爲城陽王，治莒，後漢爲郡。晉改爲東莞，今山東莒縣是。諸縣，即今之山東諸城縣。後之學者從此說者甚夥。遠者如後漢書平鄉侯國有婁亭，注謂是牟婁地，屬北海諸縣。今諸城也。近者如竹添光鴻左氏會箋云（本文以下簡稱會箋）：「今青州府諸城縣東北有婁鄉城，與安丘縣接境」（註三）。總之，杜預等主張莒伐之牟婁位於今之山東諸城縣東北，與安丘縣接境之地帶。

2、史記杞世家司馬貞索引曰：「牟婁，曹東邑也。」

案：曹國在今山東定陶、曹縣一帶，地理志云：「濟陰郡，定陶縣，詩曹國是也。」

3、兪臯春秋集傳釋義大成引鄭氏曰：「杞縣有婁鄉。」

案：所謂「杞縣」，乃在東樓公初封時之杞國境。史記杞世家曰：「周武王克殷紂，求禹之後，得東樓公，封之於杞。」杜（預）注春秋曰：「杞國本都陳留雍丘」。春秋集傳世次（註四）曰：「雍丘，漢爲兗州刺史所領陳留郡雍丘縣，唐爲河南道汴州雍丘縣，宋爲開封府雍丘縣，在今河南江北行省，汴梁路杞縣。」總之，鄭曰「杞縣有婁鄉」，即置牟婁於東樓公初封之杞國境內矣。

就以上三說觀之。莒人伐取之牟婁，以在今之山東諸城安丘間者爲是。理由有二：一曰，莒國在今之山東莒縣。又屬小國。其活動範圍，西南向有史可考者，雖曾於隱二年入向，襄六年滅鄫（註五），但向、鄫均近莒。至於較遠者，如成七年會救鄭，同盟馬陵，襄元年會圍宋彭城，九年會伐鄭，十一年又會伐鄭，均與諸侯會伐，非莒一己之力也，且從未有其國土。故度其國勢，不可能越向、鄫，再越今山東之嶧縣、魚臺、金鄉、單縣等地而獨力伐曹取牟婁，更不可能再前進而達今之河南杞縣。二曰：牟婁經此戰役之後，爲莒所常有，春秋昭五年有云：「莒牟夷以牟婁及防茲來奔。」防茲何在？杜預注曰：「城陽平昌縣西南有防亭，姑幕縣東北有茲亭。」莒人伐取之牟婁，既爲莒國所常有，又與防茲近，當以一說（杜說）爲是矣。即莒人伐取之牟婁，地在今之山東省諸城縣東北境，與安丘近。

㈡莒人伐取之牟婁，於隱四年時爲何國所有？

春秋隱四年原文旣曰：「莒人伐杞取牟婁」，杜預復注之曰：「牟婁，杞邑。」公羊傳更謂：「牟婁者何？杞之邑也。」雖左氏、穀梁於此無說，似已可判定「牟婁」此時非屬杞不可。但事實恐非如此。因杜預注與公羊說均就春秋原文而立論，如春秋原文有誤，則皆不能成立矣。欲明此一問題，又必先辨明「杞」於此時何在？

杞本都陳留雍丘（史記杞世家，春秋杜預注等均作如是說。），即今之河南杞縣。莒人所伐取之牟婁在今山東省諸城、安丘間，前文言之已詳。此時（隱四年）牟婁如爲杞邑，則杞非在此之前遷至今山東莒北之安丘一帶不可。故在此不能不對「杞」之遷國問題詳加探討：

首先看史記杞世家（在陳杞世家內）：

杞東樓公者，夏后禹之後苗裔也。殷時或封或絕。周武王克殷紂，求禹之後，得東樓公，封之於杞，以奉夏后氏祀。東樓公生西樓公，西樓公生題公，題公生謀娶公。謀娶公當周厲王時。謀娶公生武公。武公立四十七年卒，子靖公立。靖公三十二年卒，子共公立。共公八年卒，子德公立。德公十八年卒，弟桓公姑容立。桓公十七年卒，子孝公匄立。孝公十七年卒，弟文公益姑立。文公十四年卒，弟平公鬱立。平公十八年卒，子悼公成立。悼公十二年卒，子隱公乞立。七月，隱公弟遂弒隱公自立，是爲釐公。釐公十九年卒，子湣公維立。湣公十五年，楚惠王滅陳。十六年，湣公弟閼路弒湣公代立，是爲哀公。哀公立十年卒，湣公子敕立，是爲出公。出公十二年卒。子簡公春立。立一年，楚惠王之四十四年，滅杞。杞後陳亡三十四年。

史遷在此記杞，自東樓公始封於杞，及其後之世系、亡國經過等甚爲詳盡。惟對遷都事一字未提，豈司馬遷未讀春秋「莒人伐杞取牟婁」耶？想史遷對杞之遷國疑而未決，未便書諸史書也。及晉杜預注春秋曰：

杞國本都陳留雍丘縣。推尋事跡，桓六年淳于公亡國，杞似幷之遷都淳于，僖十四年又遷緣陵。襄二十九年，晉人城杞之淳于，杞又遷都淳于。

杜氏言「桓六年淳于公亡國，杞似幷之遷都淳于。」案桓六年在時間上已較隱四年晚十餘年矣。且尚曰「推尋事跡」而不敢肯定。知杜氏對杞於何時遷國問題尚屬闕疑。唐孔穎達疏曰：

正義曰，譜云：杞姒姓，夏禹之苗裔。武王克殷求禹之後，得東樓公而封之於杞，今陳留雍丘縣是也。九世及成公遷緣陵。文公居淳于，成公始見春秋。湣公六年，獲麟之歲也。湣公弟哀公三年春秋之傳終矣。哀公十年卒。自哀公以下二世十三年而楚滅杞。檢杞於此歲已見於經。桓二年有杞侯來朝……

又曰：

正義曰……地理志云：陳留郡雍丘縣，故杞國。武王封禹之後東樓公，是杞本都陳留雍丘縣也。志又云北海郡淳于縣，應劭曰：春秋州公如曹，左氏傳曰淳于公如曹。臣瓚案，州國名，淳于國之所都。此淳于縣於漢屬北海郡，晉時屬東莞郡。故釋例土地名云：州國都於東莞淳于縣，以雍丘淳于雖郡別而境連也。桓五年，傳稱淳于公如曹，度其國危，遂不復，六年春實來，雖知其國必滅，不知何國取之。襄二十九年，晉帥諸侯城杞。昭元年，祁午數趙文子之功云「城淳于」。是知淳于即杞國之都也。……襄二十九年，又從緣陵而遷於淳于，以無明文，疑不敢質，故言推尋事跡，似當然也。……（孔疏頗長，不俱引，請參閱十三經注疏原文）

觀孔氏之言，尤爲閃爍其詞，所謂「以雍丘淳于雖郡別而境連也」語義費解。所論杞遷北海至州都淳于，最早亦不過桓五年「淳于公如曹」，而仍不能肯定，其餘之論述，均爲桓五年以後事，知孔氏對杞於春秋前（或隱四年前）即已遷北海（莒北淳于一帶，漢屬北海郡）事，仍無肯切之辭。眞正肯切言及「杞」於春秋前遷北海者，自漢書地理志注始。漢書地理志陳留郡雍丘之下注曰：

故杞國也。周武王封禹後東樓公。先春秋時徙魯東北。二十一世簡公爲楚所滅。

此注僅言杞先春秋時徙魯東北（即北海），未述及據何而立說。爲此注提出立論之佐證者，乃唐人司馬貞，司馬氏於史記索引曰：

……故地理志云雍丘縣，故杞國，周武王封禹後爲東樓公是也。蓋周封杞而居雍丘。至春秋時杞已遷東國，故左氏隱四年傳云「莒人伐杞取牟婁」。

觀司馬貞所提佐證，只有隱四年「莒人伐杞取牟婁」而已。實際上，古代文獻中，也只有這點資料。於是自此以後，言杞於春秋前遷北海者，乃有二依據焉：一曰春秋「莒人伐杞取牟婁」，二曰漢書地理志注云云。如清王夫之曰：

杜氏云：杞本都陳留雍丘縣，桓六年淳于公亡國，杞似幷之，遷都淳于，乃以地理考證經文。雍丘去淳于地且千里，淳于即亡，杞安能越鄭、宋、魯、齊而遠幷之，遽舍其故國而爲千里之遷？則杜說固屬未詳。漢書注；雍丘故杞國，武王封東樓公于此，先春秋時徙魯東北。淳于之亡，入春秋後十七年，則杞初不因幷淳于而始東遷也。莒取牟婁，牟婁杞邑。杜氏亦云：城陽諸縣東北有婁鄉。後漢書，平昌侯國有婁鄉，注謂是牟婁地，屬北海諸縣，今諸城也。則杞之國在青州齊之南、魯之東，春秋前已不都雍丘明矣。

王氏之言，一言以蔽之，即以「莒人伐杞取牟婁」暨地理志注「杞先春秋前徙魯東北」爲依據。是故，此一問題乃形成：因春秋有「莒人伐杞取牟婁」，故地理志注云「杞先春秋時徙魯東北」；因地理志註有「杞先春秋時徙魯東北」，故知春秋隱四年「莒人伐杞取牟婁」爲當然。尋其根本，實原於「莒人伐杞取牟婁」一語而已。故在此必要辨明，杞究於何時遷魯東北（北海）？

關於杞遷國事，見於經傳者三：

1、僖十四年：春秋：春，諸侯城緣陵。

杜預注：緣陵杞邑。避淮夷遷都於緣陵也。

左傳：春，諸侯城緣陵而遷杞焉。不書其人有闕也。

2、襄廿九年春秋：春……滕人、薛人、小邾人城杞。

左傳：……晉平公杞出也。故治杞。六月，知悼子合諸侯之大夫以城杞。

3、昭元年左傳：祁午數趙文子之功云：「城淳于」。

杜預注：襄二十九年，城杞之淳于。杞遷都。

以上第三點雖見於左傳昭元年，而事與春秋襄二十九年「城杞」一。知杞之遷國事，經傳雖三見，而實兩遷國。且據此經傳資料顯示，杞遷魯東北最早之明確記載爲僖公十四年。遷國目標爲緣陵。此時已歷春秋之隱、桓、莊、閔、僖五公矣。管見認爲，此乃杞東遷之始也。理由有二：

甲、由迫杞遷國之原因看。

僖十四年迫杞遷緣陵之原因有左傳、公羊二說。

先由左傳遷杞之原因看：

讀春秋、左傳僖公十三年有如下之記載：

春秋：夏四月……公會齊侯、宋公、陳侯、衞侯、鄭伯、許男、曹伯于鹹。

左傳：夏，會于鹹，淮夷病杞故，且謀王室也。

次年，即僖公十四年，春秋、左傳又有如下之記載：

春秋：諸侯城緣陵。（杜預注：緣陵，杞邑也。避淮夷遷都於緣陵也。）

左傳：諸侯城緣陵而遷杞焉。

由上可知，迫杞遷緣陵之原因，左氏者流，謂係受淮夷之侵擾。即所謂「淮夷病杞故」。

因而在此應辨明淮夷何在？

案：所謂淮夷，乃夷之在淮者也。淮南、北近海之域皆爲淮夷。淮夷自古爲患東土。周初，三監叛即持淮夷以自重。大體分爲南北兩大區域。竹氏會箋對此有肯切之考辨。會箋曰：淮南北近海之地皆爲淮夷。書序曰：「武王崩，三監及淮夷叛」又曰：「成王東伐淮夷，遂踐奄」詩序曰：「宣王召公平淮夷」常武曰：「率彼淮浦，省此徐土」又曰：

「截彼淮浦，王師之所」魯頌曰：「奄有龜蒙，遂荒大東，至於海邦，淮夷來同。」

此傳曰「淮夷病杞」，此皆淮北之夷，在徐州之域者也。

又曰：

江漢之詩曰：「江漢浮浮，武夫滔滔，匪安匪遊，淮夷來求。」昭四年楚子召諸侯及淮夷會于申，此皆淮南之夷，在揚州之域者也。

竹氏在此不但已明白指出南北淮夷之所在，且更說明病杞之淮夷，皆淮北之夷，在徐州之域者也。

現在必須指出者，「徐州之域」位於莒之西南方，且兩者距離遙遠。此時之杞，如久已遷北海淳于之域，必在莒之北，或東北。爲「徐州之域」之淮夷所擾者，應在徐州附近地區，如春秋僖十六年有云：

冬十二月，公會齊侯、宋公、陳侯、衞侯、鄭伯、許男、邢侯、曹伯于淮。

左氏傳曰：

十二月會于淮，謀鄫，且東略也。

杜預注左氏之言曰：

鄫爲淮夷所病故也。

由上文可知，遷杞後二年，鄫復受淮夷之侵擾，迫使諸侯再會於淮（淮，會箋曰：今安徽省泗州盱眙，淮水所經處，古臨淮也。）以謀鄫。鄫國即杜預所謂之「琅邪鄫縣」。位於今之山東嶧縣東。已見前文注五。

基於以上之史實及地形看，「淮夷之域」之夷，北侵擾鄫，當屬自然。如越莒而病久遷北海淳于或近淳于之杞，絕無可能。因莒於此時（僖十四至十六年間）東北已有牟婁（隱四年伐取者），可謂東南、南、西南，三面屏淳于。如淮夷必病「淳于之杞」，勢必先亡莒而後可。而此際不但莒國安然無恙，甚至莒南、莒西南更接近淮夷之郯（在今山東郯城縣境）、向，亦好無爲淮夷所病之記載。淮夷豈奈「淳于之杞」何？此知杞既爲淮夷所病而遷國，遷國時杞必不在莒北之北海淳于一帶。竹添光鴻氏似已悟及於此，竹氏曰：

十三年淮夷病杞，是時杞居淳于，在齊南郯、莒之間。迫近淮夷，是以病之，齊桓遷之稍北近齊，以避其患。

竹氏雖有所悟，惟彼既囿於「是時杞居淳于」之見，又不能不牽就淮夷病杞地理情勢之事實，乃不得不作此含混矛盾之說也。試問，淳于位莒之北，郯居莒之南，是時杞果在淳于，何能又在郯莒之間耶？再推進一層看，如杞果在郯莒之間，牟婁當初尤不可能爲杞所有，因牟婁在莒東北邊界之外，杞本小弱，其國土焉能自莒西南近郯之處，延申到莒東北，造成三面環莒之態勢耶？

總之，就左傳「淮夷病杞」而造成杞遷國之原因看，杞於僖十四年遷緣陵時，勢必在莒南或西南近淮夷之域。更有懷疑此時杞仍在雍丘者，如沈欽韓氏云：「疑杞此時尚在雍丘」。當然，雍丘去「徐州之域」亦頗不近，淮夷越宋病杞勢亦不易，但如杞因久受鄭、宋所脅（註六），早離故封而略向東移（註七），淮夷病杞則成自然之勢矣。尤其自僖十三年諸侯一會于鹹，而謀杞、遷杞，且爲「謀王室」（註八）之情形看，淮夷之侵擾威勢，必然有影響諸侯且危及王室之態勢。再從十六年諸侯二會于淮，爲謀鄫，「且東略」之形勢看（註九），淮夷之亂勢大矣。甚至頗有當年周公東征（三監以淮夷叛，成王命周公東征）之勢。如此，淮夷自徐州之域，北向病鄫，西向侵擾略向東移之杞，乃自然之發展也。

再由公羊遷杞之原因看：

讀春秋僖十四年，春，諸侯城緣陵。公羊傳曰：

孰城之？城杞也。何爲城杞？滅也。孰滅之？蓋徐莒脅之。何爲不言徐莒脅之？爲桓公諱也。

又曰：

何爲桓公諱？上無天子，下無方伯，天下諸侯有相滅亡者，桓公不能救，則桓公恥之也。然則孰城之？桓公城之。桓公城之，何爲不言桓公城之？不與諸侯專封也。

又僖十五年，楚人敗徐于婁林。何休注之曰：

謂之徐者，爲滅杞不知尊先聖法惡重故狄之也。

是知，杞之遷緣陵，公羊家者流以爲「徐莒脅之」。徐何在？會箋曰：「徐國在泗州」。泗州亦在莒之南。如杞之遷緣陵，果爲徐莒所脅，此時杞亦必在莒南或莒西南，亦不當在莒北之淳于或近淳于之域。如在淳于，何能爲徐所脅耶？

總之，不論就左傳之「淮夷病杞」或公羊之「徐莒脅之」之原因看，杞於僖十四年之前，不可能居北海之淳于或近淳于之域。

乙、由助杞遷國之原因看：

杞本都陳留雍丘。據前引之經傳原文暨杜注等其他資料顯示，杞遷北海之明確地點，不外淳于、緣陵二地。淳于故地在今山東安邱縣東北角（註十）。緣陵，即營陵。故城在今山東昌樂縣東南（註十一）。由今之河南杞縣，至山東昌樂、安邱一帶距離相當遙遠，遷國必不易，誠如王夫之所謂：

雍丘去淳于且千里。淳于即亡，杞安能越鄭、宋、魯、齊而遠并之，遽舍其故國而爲千里之遷乎？

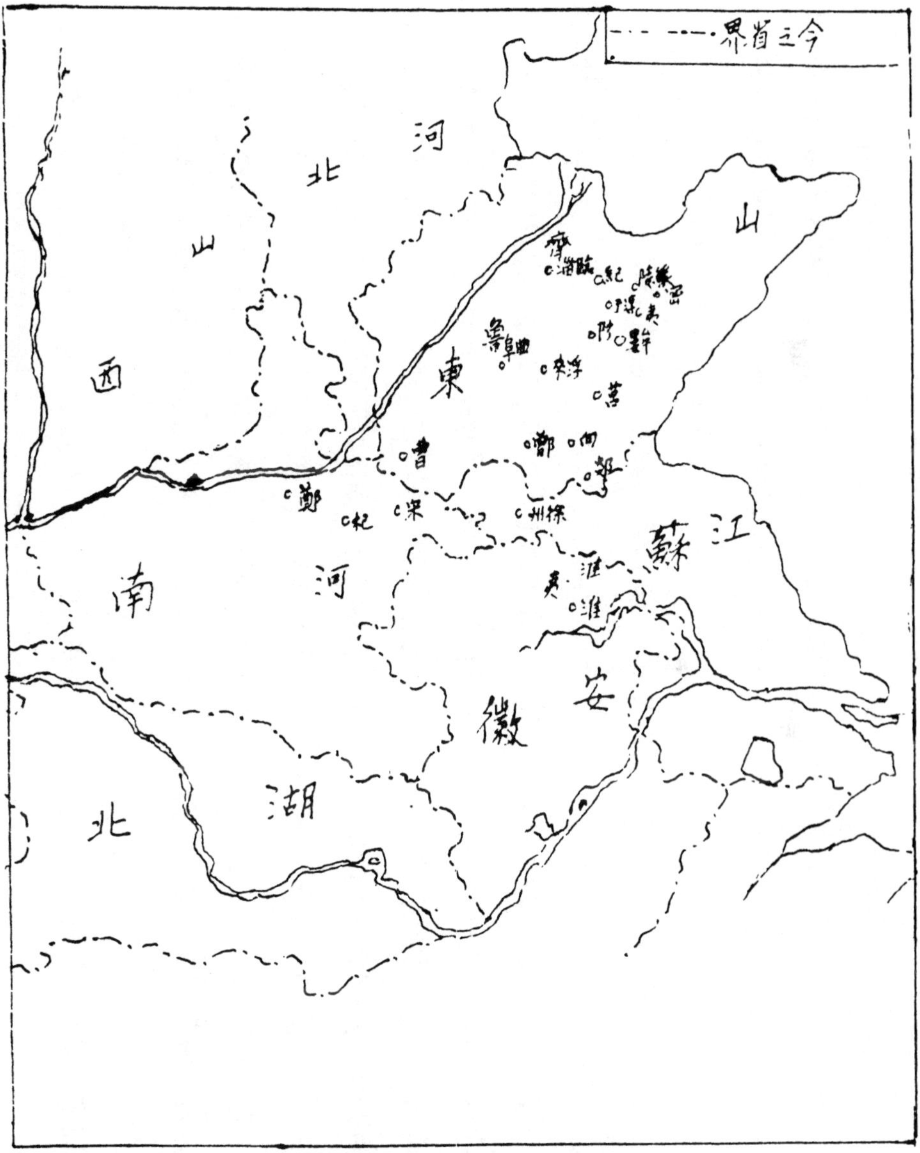

杞北遷有關地名概略位置圖

當然，王氏之本意以爲，杞遽爲千里之遷，絕不可能，杞必在淳于亡國之前，慢慢輾轉前進，而達北海之域。

案：輾轉前進而達北海之域，尤不可能也。因當時（隱四年之前）自雍丘至緣陵或淳于間，列國雄據。杞本小弱，又素爲鄭、宋所脅，國勢必然日下。如以其一己之力，輾轉於列國之間，且無預定之遷國目標（杜預之「推尋事跡，桓六年淳于公亡國，杞似并之，遷都淳于」，意指杞於桓六年之前即已達淳于一帶，杜氏顯然認定杞初遷之目標非淳于，更非緣陵。），恐早被消滅於漫長之旅途中矣。以既小且弱之杞國言，能遷千里外之北海，非有外力助之不可。如楚遷許于葉，吳遷蔡于州來同。因此，杞之遷北海，只有在僖十四年之狀況下方克有成。是年不論杞爲「淮夷所病」或爲「徐莒所脅」，諸侯城緣陵爲遷杞乃不爭之事實，穀梁傳楊士勛疏曰：

公羊以杞國爲徐莒脅滅，故諸侯爲之城。左氏以爲淮夷病杞，故齊桓爲之城。二傳說城之所由雖殊，皆是爲杞也。

僖十四五年間，正是齊桓公霸諸侯之際。齊桓會諸侯，爲表現其「安危扶傾」之義行（僖十四年，諸侯城緣陵，公羊傳曰……天下諸侯有相滅亡者，桓公不能救，則桓公恥之。），助杞自雍丘近淮之域，直遷齊之緣陵（註十二）。至襄二十九年再遷杞於州地淳于也。

綜上所述，可得一結論，杞初遷北海之域，應是僖十四年。隱四年時，杞不在淳于、緣陵一帶之北海之域。故知牟婁於隱四年時，非杞國所有也。

隱四年時，杞既不在北海之域，牟婁非杞所有。莒人於何國手中取牟婁耶？爲求得此一問題之答案，茲分四點述之。

⑴從紀人伐夷談起，

讀左傳隱公元年有云：

八月，紀人伐夷。夷不告，故不書。

「紀人伐夷」雖因夷不告而春秋不書，但並不能否定此一史實之重要性。因爲左傳這筆獨家記載之史料，乃是解決莒人於何國手中取牟婁問題之重要關鍵。甚至爾後紀、莒、魯、齊等各國之會盟、征伐，均或多或少受到此一事件之影響也。

⑵從牟婁之特殊地理因素看，莒人自紀國手中取牟婁之可能性極高。

首先要瞭解「紀人伐夷」之紀、夷何在？

紀，姜姓，侯爵（孔穎達引世族譜語）。與齊同宗，地亦與齊接。在今之山東壽光縣東南數十里處（註十三）。夷則分佈頗廣；王幾有夷，莊十六年晉伐夷執夷詭諸是也；陳亦有夷，僖二十三年楚伐陳取焦夷。昭九年遷許于夷是也。紀伐之夷，杜預注曰：「在城陽莊武縣」，即今之山東省高密縣境（註十四）。竹氏會箋曰：

> 夷國妘姓。史記云：晏平仲嬰者，萊之夷濰人也。即此夷國之地。漢置夷安縣，在今萊州府高密縣境。與即墨縣西之莊武相近。

此夷之所在地「山東高密縣境」，不但與莒人伐取之牟婁所在地「山東諸城縣北部」地相接，且據春秋昭五年之「夏，莒牟夷以牟婁及防茲來奔。」知牟婁原亦屬此夷人之域。左傳於隱元年既曰「紀人伐夷」，此「夷」安知其不包括牟婁在內？再者，「伐夷」之「伐」，依左氏說：有鍾鼓曰伐，無者曰侵，輕者曰襲。此知紀人伐夷乃是大行動。且由紀至夷（自今之山東壽光縣東南至高密縣一帶）路亦不近，左傳在文字上雖無「取」某地之字樣，但亦未嘗不可能於伐前早有夷之部分國土，或伐後臨時佔領夷之某地。春秋傳說彙纂有云：

> ……則夷地後屬之齊，非齊滅，即紀先滅之，後入於齊耳。

此知紀有夷之土地，經傳雖無明確之記載，但依兩國發展之態勢觀之，其可能性必然極高。莒人自紀國手中取牟婁，亦意料中事。

(3)自紀、魯、莒諸國之交往關係看，莒亦必於紀國手中取牟婁。

案：紀、魯、莒三國，入春秋後，交往頻煩。展讀史籍，知魯、莒有怨（杜預語）。而魯、紀相睦，且修姻親之好（春秋：隱二年九月，紀裂繻來逆女。），若夫紀莒之間，原無明顯恩怨。但隱元年八月紀人伐夷，次年（隱二年）十月紀子帛莒子盟于密。二者時間之如此接近，顯然不是巧合。再者，選密為二國盟會地，亦必有其因素在。蓋密地雖屬莒（杜預注：密，莒邑），但與夷地近（會箋曰：密鄉故城在今山東萊州府昌邑縣東南十五里），此時正是紀伐不久，紀之前方在夷，紀莒於此時盟於密，表面上，故為修魯、莒之好（左傳曰：「紀子帛莒子盟于密，魯故也。」杜預注之曰：「莒魯有怨，紀侯既昏于魯，使大夫盟莒以和解之。子帛為魯結好息民，故傳曰，魯故也。」）而實質上，未嘗不是為伐夷事件而拉攏盟友，以穩定其伐夷之既得利益。基於此，莒於後二年（隱四年）取牟婁亦意料中事。

再者，隱四年莒人伐取牟婁時，如所伐之對象為杞，則莒國純系強取豪奪，幾幾乎無借口可憑，必然會引起諸侯如僖十四年「諸侯城緣陵而遷杞焉」之干預。但如莒人伐取之對象為紀，則莒之行為乃在分「紀人伐夷」之一杯羹耳。諸侯不便置喙矣。且牟婁近莒，紀如力弱，只好讓賢。乃順理成章之發展。

此後，紀莒雖相安，而心實不能平。故又後四年（隱八年），魯莒盟于浮來時，左傳曰：「公及莒人盟于浮來，以成紀之好也。」雖然有人釋之曰：「成紀好者，謂成紀為我之好也。成言我結好于莒也。」（語見會箋）實亦與以上之「盟」「伐」有其因果關係也。

(4)從後人對「浮來」屬紀屬莒之爭，知莒人伐取之對象亦必為紀。

春秋隱公八年：

九月，辛卯，公及莒人盟于浮來。

杜預注之曰：

浮來紀邑。東莞縣北有邳鄉。邳鄉西有公來山，號曰邳來間。

晉范寧注穀梁曰：

包來宋邑。

案：浮來，穀梁作包來。范寧曰「宋邑」非也。又清劉文淇春秋左氏傳舊注疏證曰：郡國志，琅琊郡東莞有邳鄉，有公來山。或曰古浮莒邑。江永云：浮來，莒邑，非紀邑。大事表云：今山東沂州府蒙陰縣西北有浮來山，與莒州接界。

竹氏會箋曰：

今莒州西三十里有浮來，說者因謂浮來莒邑，非紀邑，此不然。水經注：沂水東逕蓋縣故城南，又東逕浮來之山，浮來水注之，春秋公及莒人盟于浮來者也。又曰：大峴水東南流逕邳鄉東，東南注于沭。則邳鄉爲峴山水所經。其去峴山非遠。正沂水縣西北之境，況沂水下流不由莒地。若浮來在莒西三十里，去沂甚遠，安得浮來水注沂乎？

根據以上「浮來」屬紀、屬莒，歷來爭執不下之情形看，知隱八年時，紀已自今壽光東南之本土，向南吞沒夷國或他國若干土地，乃得與莒之東北國境相交錯。然而自隱八年上推至隱元年，除紀伐夷外，未聞紀再伐夷或伐他國取得任何土地。由此似可肯定，於隱元年紀伐夷之前或伐夷時，必然自夷國得到若干土地。其中含牟婁之可能性當然極高。莒復於紀人手中取牟婁也。

總之，就以上種種關係看，隱四年「莒人伐杞取牟婁」一語，宜正之爲「莒人伐紀取牟婁」更能近史實，合經義也。

二、三傳「杞侯」「紀侯」之爭之商確

讀左傳桓公：

二年，秋七月，杞侯來朝。

三年，六月，公會杞侯于郕。

十二年，夏六月，壬寅，公會杞侯，莒子盟于曲池。

以上三處之「杞侯」公、穀每作「紀侯」。據筆者之考察，亦以作「紀侯」爲妥。先賢對此爭論尤夥。筆者對此，除前已言及之「音近形近」共同訛誤因素外，再就此三處歸納爲共同訛誤因素，與個別訛誤因素。分述於後：

甲、左傳三稱「杞侯」宜作「紀侯」之共同因素。

此所謂左傳三書「杞侯」之共同訛誤因素。乃指紀、杞之爵稱問題。

考春秋紀、杞之爵稱有別。紀，侯爵。孔（穎達）疏曰：

> 世族譜：紀，姜姓，侯爵。莊四年齊滅之。

紀在春秋除隱二年之「紀子帛」三傳有爭議者外（註十五），自始至終稱「紀侯」。杞則不然，有謂杞爲伯爵者。如宋胡安國春秋諸國興廢說曰：

> 杞，姒姓，伯爵。周二王後，武王克商，求夏禹苗裔得東樓公封杞以奉禹祀，其地今開封府之雍丘是也。……而國滅於楚。

有謂杞本公爵，後以國弱自改伯爵、子爵者。如元俞臯春秋集傳釋義世次曰：

> 杞，姒姓，公爵。後國削弱自改伯爵，又改子爵。出自夏禹之後裔，周封二王後，得東樓公，封於雍丘，以奉禹祀。自東樓公至武公……。

當然亦有本左氏三書「杞侯」而謂杞爲侯爵者。筆者在此謹就春秋三傳對杞君之爵稱（如杞悼公、杞僖公之一般稱謂除外）開列如下：

桓二年左傳：杞侯來朝。公、穀作「紀侯」。

三年左傳：公會杞侯于郕。穀梁同。公羊作「紀侯」。

十二年左傳：公會杞侯、莒子盟于曲池。公穀作「紀侯」。

莊二十七年：杞伯來朝。案：自此以下對杞君之爵稱三傳同。

僖二十三年：杞子卒。

二十七年：杞子來朝。

文十二年：杞伯來朝。

成五年：公會……杞伯同盟于蟲牢。

七年：公會……杞伯救鄭。

九年：杞伯來逆叔姬之喪以歸。

又：公會：……杞伯同盟于蒲。

十八年：杞伯來朝。

襄六年：杞伯姑容卒。

九年：公會……杞伯……伐鄭。

十年：……杞伯……會吳于柤。

又：會……杞伯……伐鄭。

十一年：公會……杞伯……伐鄭。

又：公會……杞伯伐鄭。

十六年：公會……杞伯……于溴梁。
十八年：公會……杞伯……同圍齊。
二十年：公會……杞伯……盟于澶淵。
廿二年：公會……杞伯……于沙隨。
廿三年：杞伯匄卒。
廿四年：公會……杞伯……于夷儀。
廿五年：公會……杞伯……于夷儀。
廿九年：杞子來盟。
昭六年：杞伯益姑卒。
十三年：公會……杞伯……于平丘。
廿四年：杞伯郁釐卒。
廿六年：公會……杞伯盟于鄟陵。
定四年：公會……杞伯……于召陵。
又：杞伯成卒于會。
哀八年：杞伯過卒。

案以上計稱「杞伯」者二十有四。此稱最多，亦最普通，且三傳相同，顯示「杞伯」乃杞君之正稱。此與胡安國謂杞爲伯爵者合。稱「杞子」者三，亦三傳所同，且左傳於每條下必有何以書「子」之說解。如：

僖廿三年，杞子卒。

左傳曰：杞成公卒，書曰子，杞夷也。

僖廿七年，杞子來朝。

左傳曰：杞桓公來朝，用夷禮，故曰子。公卑杞，不恭也。

襄廿九年，杞子來盟。

左傳曰：杞文公來盟，書曰子，賤之也。

考左氏之傳文，一言以蔽之，謂夫子之所以書「杞子」者，乃有卑杞、貶杞之意在。至於三稱「杞侯」者，惟左氏耳。公、穀對此三處，每直稱「紀侯」。且尊耶？貶耶？左氏無說。又此三稱全在桓公年間，此時正當紀侯與魯、莒等國來往密切之際，紀在春秋中始終稱「紀侯」，前已言之矣。及莊四年「紀侯大去其國」之後，杞不復稱侯矣，知左氏此三處之「杞侯」乃「紀侯」之文誤也。故程子（頤）曰：「凡杞稱侯者，皆當爲紀。杞爵非侯，文誤也。及紀侯大去其國之後，杞不復稱侯矣。」

乙、左傳三稱「杞侯」宜作「紀侯」之個別因素。

1.桓二年之「杞侯來朝」。

「杞侯來朝」乃左氏說。公、穀俱作「紀侯來朝」。左氏及護左氏者，輒以「杞侯來朝」與下文「九月入杞」相糾纏，如左氏曰：「秋七月，杞侯來朝，不敬，杞侯歸，乃謀伐之。」下文又曰：「九月入杞，討不敬也。」

考「桓公內弒其君，外成人之亂」（穀梁語），且「桓公篡立，無歲不與諸侯會盟結外援以自固」（程頤語），此際杞既來朝，乃桓公夢寐以求之者也。杞之禮數即便稍有不當，亦不至大事討伐，以絕外援也。

又杜預註「杞侯來朝」曰：「公即位而來朝也。」意謂杞來朝爲祝賀桓公之即位。如確屬如此，桓弒兄弒君而立，諸侯爲賀意而來朝，夫子必以「貶」意書之。胡氏（安國）傳曰：

> 公、穀、程氏皆以杞爲紀。桓弟弒兄、臣弒君，天下之大惡，王與諸侯不奉天討，反行朝聘之禮，則皆有貶焉，所以存天理正人倫也。

觀春秋直稱「杞侯來朝」而無貶意。與夫子著春秋之大義背矣，此文如易之以「紀侯來朝」，則情形有別。何耶？胡氏傳又曰：

> 紀侯來朝，何獨無貶乎？當是時齊欲滅紀，紀侯求魯爲之主，非爲桓立而朝之也。

綜上所述，知該文依公、穀作「紀侯來朝」於情於理於春秋大義，均較「杞侯來朝」爲安爲妥也。

2.桓三年之「公會杞侯于郕」。

「公會杞侯于郕」乃左氏、穀梁說也。公羊作「紀侯」。左氏曰：「公會杞侯于郕，杞求成也。」杜預以「二年入杞，故今來求成也。」之注附左氏。

考紀依公、穀說，曾於桓二年來朝，求助於魯以抗齊，桓六年三傳復同曰「公會紀侯于成」（惟成字穀梁作郕），且左氏曰：「夏公會于成，紀來諮謀齊難也。」知自桓二年至六年間，紀爲齊脅，紀魯既修姻親之好，魯君時與紀會，以諮謀齊難，勢屬自然。

再者，三年，六年兩次相會地點均在郕（郕字三傳或作成、郕、盛，三字並從成聲，同音通假。實爲一地。據考郕爲魯之孟氏邑也。），兩次所會地點既一，桓六年「公會紀侯」，三年亦以「公會紀侯」爲順乎情勢。如魯君所會之對象前後不一，則所會之地亦不必皆在「成」也。知本文從公羊作「紀侯」爲是也。

3.桓十二年之「公會杞侯、莒子盟于曲池。」

該條左傳作「杞侯」。公穀俱作「紀侯」，左傳釋之曰：「平杞莒也。」案：所謂「平杞莒」顯係指隱四年「莒人伐杞取牟婁」之後而言，因入春秋後，杞莒間除此之外無所衝突。

然隱四年杞不在北海（魯東北），莒所伐者，紀也。前文辨之已詳。如此，則「平杞莒」三字失所據矣。知本文當依公、穀作「紀侯」爲是。

總之，春秋桓公年間，三書「杞侯」，不論就其共同理由、個別理由看，均以作「紀侯」爲妥爲是也。

（原載孔孟學報第三十九期今略修正之）

【註　釋】

註　一　見沈欽韓左傳地名補注一。

註　二　穀梁傳曰：「傳曰言伐言取其所惡也。諸侯相伐取地於是始，故謹而志之也。」

註　三　見廣文書局左傳會箋四十八頁。

註　四　元，俞臯春秋集傳釋義大成前之春秋集傳世次，在通志堂經解中。

註　五　向，杜預注：「向小國也。譙國龍亢縣東南有向城。」竹氏會箋曰：「向姜姓國，又周鄭莒魯俱有向地。周之向見隱十一年傳，鄭之向見襄十一年傳。俱與此經向迥別、向國當近莒。向地在山東者二，宣四年注，東海承縣東南有向城，承縣在今兗州府嶧縣西北一里，去莒遠，此一向也。寰宇志，莒州南七十里有向城，此又一向也。近莒。參會道里，寰宇志近之。若龍亢之向，在今安徽鳳陽府懷遠縣。去莒甚遠。」竹氏說是。
鄫，杜預注曰：「琅邪鄫縣」。今山東省嶧縣東有鄫城，即鄫之故地。

註六　鄭，指新鄭。史記裴駰集解韋昭曰；「後武公竟取十邑地而居之，今河南新鄭也。」宋，宋都商邱，在今河南商邱縣西南三里。

註七　清王夫之春秋稗疏曰：「雍丘，今杞縣。春秋時爲宋、鄭二國之爭地，蓋王子友遷于新鄭之時，杞已去雍丘而遷北海」。案：王子友遷新鄭時杞遷北海雖未必然。但已離雍丘，略向東移實爲可能。

註八　僖十三年春秋；「公會齊侯、宋公、陳侯、衛侯、鄭伯、許男、曹伯于鹹。」
左傳：「夏，會于鹹，淮夷病杞故，且謀王室也。」

註九　僖十六年春秋：「冬十有二月，公會齊侯、宋公、陳侯、衛侯、鄭伯、許男、邢侯、曹伯于淮。」
左傳：「十二月會于淮，謀鄫，且東略也。」

註十　今山東安邱縣東北角，有古杞城。即淳于故地。見民國六十六年十二月山東文獻三卷三期安邱縣疆域圖。

註十一　竹氏會箋曰：「緣陵故城在今青州府昌樂縣東南七十里。」

註十二　竹氏會箋曰：「後漢志；北海郡有營陵縣，薛瓚云「春秋謂之緣陵是也。蓋亦齊邑。桓公以易杞而使安，旣遷以後，乃爲杞地耳。」

註十三　杜預注云：「紀國在東莞劇縣。」案：晉時東莞郡治莒。如依杜注，紀國似在今之魯南，然後漢志北海劇縣有紀亭，古紀國。沈欽韓云：「山東通志，紀本在東海贛榆，後遷劇，亦稱紀城。有台高九尺，俗曰紀台城。」竹氏會箋曰：「後漢志，北海劇縣有紀亭，古紀國。今山東青州府壽光縣，東南三十里有台高九尺，俗曰紀台城。旁有劇南城，杜以東莞劇縣爲紀，乃贛榆之紀，鄑城也。其地在莒南，去壽光遠矣。」

註十四　一統志：「莊武城在萊州府卽墨縣西六十里，古夷國。」

註十五　隱二年左傳：「紀子帛，莒子盟于密」杜預於經文下注之曰：「子帛裂繻字也」，而穀梁傳作「紀子伯」以「子」爲爵，且曰：「或曰紀子伯莒子而與之盟，或曰年同，爵同，故紀子以伯先也。」因而有謂紀本「子」爵者。元俞皐曰：「伯，左氏作帛。程子曰缺文也。當云紀侯某子某伯盟于密。」此又一說也。桓二年何休注公羊「紀侯來朝」曰：「稱侯者，天子將娶於紀，與之奉宗廟傳之無窮，重莫大焉，故封之百里。」意謂紀之原爵小於侯，此時始封侯。此又一說也。總之，說雖不一，紀除隱二年「紀子帛」一稱有爭議外，春秋自始至終稱「紀侯」。

拾　春秋異文探源

——附證三傳經文何者最近春秋古本

引　言

讀春秋必讀左氏、公羊、穀梁三傳。今本三傳，各有經文開列於傳文前。春秋原只一部，本應無何異文可言，然展讀三傳，其經文彼此相異者，比比皆是。先儒時賢，對此多所考證，創獲亦豐，邇來筆者課餘，復將三傳經文細加排比，發現三傳經文間，或同或異，其同、異處，似有規律可循者。基此規律，堪可認定者二：

一曰：三傳經文相異如此之多，主要由於早期「口授」「口傳」所造成。

二曰：左傳經文更近春秋古本，而少訛誤也。

茲就此兩大主題分別考證如下：

壹、三傳經文致異原因之探究

考一般古籍，年代既久，版本輒多，文字訛誤、歧異在所難免，其原因多爲脫文、衍文、形似而誤、傳抄誤書、字形殘脫等因素所造成。而春秋異文之造成，除上述因素外，似另有所謂「口授」「口傳」之最大因素在。理由有四：

一、口授傳經，自古有說。

考口授傳經，史記、漢書均各有說。且明言自孔子始。如史記十二諸侯年表云：

孔子論史記，次春秋，七十子之徒，口授其傳。

漢書藝文志曰：

仲尼思存前聖之業，……以魯周公之國，禮文備物，史官有法，故與左丘明觀其史記，據行事，仍人道，因興以立功，就敗以成罰，假日月以定曆數，藉朝聘以正禮樂。有所褒諱貶損，不可書見，口授弟子，弟子退而異言。丘明恐弟子各安其意，以失其眞，故論本事以作傳，明夫子不以空言說經也。

孔子既口授弟子，孔門弟子衆多，居住地區亦廣，退而「異言」，實爲勢所難免也。

二、三傳經文有方音滲入。

考春秋時代，有小國「郳」「小郳」者，左傳、穀梁均稱「郳」「小郳」，而公羊却概稱之爲「郳婁」「小郳婁」。今將此類名稱（包括郳、小郳、以及與「郳」字有關連之稱謂。）依左傳、公羊、穀梁之次序，列表如下：

公	年	季月	左傳	公羊	穀梁	附註
隱	元	三	郳儀父	郳婁儀父	郳儀父	
	四		郳人	郳婁人	郳人	
	七	秋	郳	郳婁	郳	
桓	八	秋	郳	郳婁	郳	
	十五	五	郳人	郳婁人	郳人	
	十七	二	郳儀父	郳婁儀父	郳儀父	
		秋八	郳	郳婁	郳	
莊	十三	春	郳人	郳婁人	郳人	
	十五	秋	郳人	郳婁人	郳人	
	廿八	秋		郳婁人		左氏、穀梁均無。

閔	二		九	邾	邾婁	邾	
僖	元		八	邾人	邾婁人	邾人	
			九	邾師	邾婁師	邾師	
	七	夏		小邾子	小邾婁子	小邾子	
	十八		正	邾人	邾婁人	邾人	
	十九		六	邾人	邾婁人	邾人	
			六	邾	邾婁	邾	
			六	邾人	邾婁人	邾人	
	廿一	秋		邾	邾婁	邾	
	廿二	春	二	邾	邾婁	邾	
			八	邾人	邾婁人	邾人	
	廿八	冬		邾人	邾婁人	邾人	
	卅三		四	邾	邾婁	邾	兩見
文	七	春		邾	邾婁	邾	
	十三		五	邾子	邾婁人	邾子	

宣	十四	春　正	邾人	邾婁人	邾人	
	元	秋	邾子	邾婁子	邾子	
	十	秋	邾	邾婁	邾	
	十七	六	邾子	邾婁子	邾子	
成	二	十一	邾人	邾婁人	邾人	
	六	夏　六	邾子	邾婁子	邾子	
	七	秋	邾子	邾婁子	邾子	
	八	冬　十	邾人	邾婁人	邾人	
	十三	夏　五	邾人	邾婁人	邾人	
	十四	春　正	莒子朱卒	莒子朱卒　何休註之曰：「莒大夫朱婁至此乃卒者……」	莒子朱卒	
	十五	三	邾人	邾婁人	邾人	
	十六	秋	邾人	邾婁人	邾人	兩見
	十七	夏	邾人	邾婁人	邾人	

公	年	時月			
		冬	邾人	邾婁人	邾人
		十二	邾子	邾婁子	邾子
	十八	八	邾人	邾婁子	邾子
		十二	邾人	邾婁子	邾子
襄	元	春正	邾人	邾婁人	邾人
		夏	邾人	邾婁人	邾人
		九	邾子	邾婁子	邾子
	二	秋七	邾人	邾婁人	邾人
		冬	邾人	邾婁人	邾人
			小邾人	小邾婁人	小邾人
	三	六	邾子	邾婁子	邾子
	五	秋	邾子	邾婁子	邾子
	七	夏四	小邾子	小邾婁子	小邾子
	八	夏	邾子	邾婁子	邾子
	九	冬	邾子	邾婁子	邾子

		小邾子	小邾婁子	邾子
十七	春 二	邾子	邾婁子	邾子
二十	夏 六	邾子	邾婁子	邾子
		小邾子	小邾婁子	小邾子
	秋	邾	邾婁	邾
廿一	春 正	邾庶	邾婁庶	邾庶
	冬 十	邾子	邾婁子	邾子
廿二	冬	邾子	邾婁子	邾子
		小邾子	小邾婁子	小邾子
廿三	夏	邾畀	邾婁鼻	邾畀
	冬 十	邾	邾婁	邾
廿四	八	邾子	邾婁子	邾子
		小邾子	小邾婁子	小邾子
廿五	夏 五	邾子	邾婁子	邾子
		小邾子	小邾婁子	小邾子

	廿八	夏		邾子	邾婁子	邾子
	廿九	夏		小邾人	小邾婁人	小邾人
	三十	冬	十	邾人	邾婁人	邾人
				小邾人	小邾婁人	小邾人
昭	元	秋		邾悼公	邾婁悼公	邾悼公
	三		五	小邾子	小邾婁子	小邾子
	十一		五	邾子	邾婁子	邾子
	十三	秋		邾子	邾婁子	邾子
				小邾子	小邾婁子	小邾子
	十七	春		小邾子	小邾婁子	小邾子
	十八		六	邾人	邾婁人	邾人
	十九	春		邾	邾婁	邾
	廿一	冬		蔡侯朱	蔡朱	蔡侯東
	廿五	夏		邾人	邾婁人	邾人

昭二十三年六月三傳經文均有「蔡侯東國卒」一

				小邾人	小邾婁人	小邾人
	廿七	秋		邾人	邾婁人	邾人
		冬	十	邾快	邾婁快	邾快
	卅二	冬		小邾人	小邾婁人	小邾人
定	三		二	邾子穿	邾婁子穿	邾子穿
			三	邾莊公	邾婁莊公	邾莊公
		冬		邾子	邾婁子	邾子
	四		三	邾子	邾婁子	邾子
				小邾子	小邾婁子	小邾子
	十四	秋		邾子	邾婁子	邾子
	十五	春	正	邾子	邾婁子	邾子
		夏	五	邾子	邾婁子	邾子
哀	元	冬		邾	邾婁	邾
	二	春	二	邾子	邾婁子	邾子
	三	冬	十	邾	邾婁	邾

四	春	二	小邾子	小邾婁子	小邾子
六	冬		邾	邾婁	邾
七	秋		邾	邾婁	邾
		八	邾	邾婁	邾
			邾子益	邾婁子益	邾子益
八	夏		邾子益	邾婁子益	邾子益
			邾	邾婁	邾
十	春	二	邾子益	邾婁子益	邾子益

就上表看，知「邾」「小邾」或與此相關之稱謂，多至一〇七稱，公羊於「邾」字下概多一「婁」字，幾無一例外（成十四年，春正月「莒子朱卒」。公羊雖亦作「莒子朱卒」，然何休註之曰：「莒大夫朱婁至此乃卒者……」知此「莒子朱」之下公羊可能漏一「婁」字。又昭二十一年冬「蔡侯朱」，公羊雖亦作「蔡侯朱」，但穀梁作「蔡侯東」，且昭二十三年六月三傳經文均有「蔡侯東國卒」。知此「朱」字，可能為「朿」字之誤，故其下無「婁」字。），此一現象，顯非傳抄或文字破損等意外之訛誤，暨文字之通假所能解釋者。

考杜預謂「邾」即後之鄒國，「小邾」即「郳」之別封（註一）。唐韻正十八尤，鄒古音則俱反。公羊傳「邾婁」即「鄒」字，以一字爲二字，孟子題辭，邾國至孟子時魯穆公改曰鄒。清趙徵君對此釋之曰：

列國方言有語音在後者，邾婁是也。有語音在前者，句吳、於越是也。即人名亦然，吳子壽夢寺人惠牆伊戾是也。公羊多齊語，故邾作邾婁。（見趙徵君春秋異文箋）

趙氏以齊方音釋「邾婁」。近人衞聚賢君亦有類此之言曰：

公羊，漢書藝文志班固自注爲齊人，禮記多魯儒之記載，是齊魯之人，對於邾國，讀音爲「邾婁」，說文段注鄒字條下云：「邾婁合聲爲鄒，夷語也。」按國語謂邾由楚分國，故語多複音，如虎謂於菟，鄒謂邾婁。齊魯之人，距邾爲近，仍讀其原音「邾婁」。（見衞氏左傳之研究）

此知「邾」之讀爲「邾婁」，確因方音使然也。

其他如左傳宣十三年經「春，齊師伐莒。」公羊「莒」作「衞」。穀梁與左氏同。考齊人讀莒有芋音（說文：莒，齊謂芋爲莒，从草，呂聲。），芋與衞爲雙聲（說文：衞，宿衞也。从韋，帀行。段注于歲切，十五部。芋，大葉實根駭人，故謂之芋也。从草于聲。），故齊人讀莒亦與衞爲雙聲。

總之，「莒」「衞」之異，亦因方音使然也。

又如定十年，左傳經「冬，齊侯、衞侯、鄭游速會于安甫。」公羊「安甫」作「窐」，穀梁同左氏。

考曰：

考地名「安甫」，公羊作「窐」，與成二年齊侯戰於窐之「窐」同。陳新雄君春秋異文

窐从安聲，窐安音同，甫與父通，江永春秋地理考實於十四年莒父下云：莒係以父，魯人語音，如梁父、亢父、剛父是也。疑本經左氏穀梁作安甫，魯人語音如此。亦猶梁父、亢父之比也。且梁父一作梁甫，是其證。又成二年戰於窐，杜云齊地，此亦爲齊衞鄭三國所會之地，其在齊境至爲可能。若然，則安甫即窐，窐地雖在齊境，猶近於魯，而魯人語音，乃謂之「安甫」。

此知「安甫」與「窐」之異，亦方音之異也。

總之，三傳經文確有因方音滲入而致異者。三傳經文既有方音滲入，其情形又如「邾婁」與「邾」等之普遍，顯然由於早期「口授」「口傳」所造成。

三、三傳經文間，某字多次互異，而該字於某一經內輒能自相一致。

考春秋異文，某字出現兩次以上，該字於三傳經文間雖有歧異，然於某一經文內，輒有

固定而且一致之寫法，多者如地名「鄆」字，三傳經文相異者達十處之多，左氏經文除哀十二年作鄖之外其餘概作「鄆」；公羊概作「運」，穀梁同左氏除哀十二年外亦概作「鄆」。少者如「弱」字，三傳經文互異者二，左氏經文兩次皆作「弱」；公羊皆作「酌」；穀梁同左氏亦皆作「弱」。其他凡出現兩次以上之異文，其情形率多類此，茲將類此之異文，分組表列如下：

一組

公	年	季	月	左傳（經文）	公羊	穀梁	備考
文	十二			季孫行父帥師城諸及「鄆」	運	鄆	
成	四	冬		城「鄆」	運	鄆	
	九			楚人入「鄆」	運	鄆	
襄	十二			季孫宿帥師救臺，遂入「鄆」	運	鄆	
昭	元		三	取「鄆」	運	鄆	
	二六			公至自齊居於「鄆」	運	鄆	
	二九	春		公至自乾侯居於「鄆」	運	鄆	

公	年	季月	左傳（經文）	公羊	穀梁	備考
	二九	冬十	「鄆」潰	運	鄆	
定	十		齊人來歸「鄆」	運	鄆	
哀	十二	秋	公會衛侯宋皇瑗於「鄖」	運	鄆	

二組

公	年	季月	左傳（經文）	公羊	穀梁	備考
僖	七	秋七	公會齊侯……盟於「甯」毋	甯	寧	
宣	十一	冬十	納公孫「寧」	甯	甯	
昭	廿	冬十	宋華亥向「寧」華定出奔陳	甯	寧	
	廿一	夏	宋華亥向「寧」……	甯	寧	
	廿八	夏四	鄭伯「寧」卒。	甯	寧	
		秋七	滕子「寧」卒。	甯	寧	

三組

公	年	季月	左傳(經文)	公羊	穀梁	備考
隱	五	秋	衛師入「郕」。	盛	郕	
隱	十	冬十	齊人鄭人入「郕」。	盛	郕	
桓	三	夏六	公會杞侯於「郕」。	盛	郕	
莊	八	夏	師及齊師圍「郕」。「郕」降于齊師。	成成	郕郕	
文	十二	春正	「郕」伯來奔。	盛	郕	

四組

公	年	季月	左傳(經文)	公羊	穀梁	備考
成	十五	春三	公會晉侯…宋世子「成」	戌	成	
昭	十	冬十二	宋公「成」卒。	戌	成	
定	四	夏五	杞伯「成」卒於會。	戊	成	
哀	十三	夏	許男「成」卒。	戌	成	

五組

公	年	季月	左傳（經文）	公羊	穀梁	備考
隱	三	冬十二	葬宋「穆」公。	繆	繆	
僖	四	秋八	葬許「穆」公。	繆	穆	
宣	三	冬十	葬鄭「穆」公。	繆	穆	
成	三	春正	葬衛「穆」公。	繆	穆	
襄	九	秋八	葬我小君「穆」姜。	繆	穆	

六組

公	年	季月	左傳（經文）	公羊	穀梁	備考
昭	元	春正	叔孫豹會……鄭「罕」虎……	軒	罕	
	十一	秋	季孫意如會……鄭「罕」虎……	軒	罕	
定	十五	夏五	鄭「罕」達帥師伐宋。	軒	罕	

哀	二	秋八	晉趙鞅帥師及鄭「罕」達……	軒	罕	

七組

公	年	季月	左傳（經文）	公羊	穀梁	備考
襄	四	秋七	夫人「姒」氏薨。	弋	姒	
	四	秋八	葬我小君定「姒」。	弋	姒	
定	十五	秋七	「姒」氏卒。	姒	弋	
	十五	秋九	葬定「姒」。	姒	弋	

八組

公	年	季月	左傳（經文）	公羊	穀梁	備考
文	十三	秋七	「大」室屋壞。	世	大	
昭	廿五	夏	叔詣會晉超鞅宋樂「大」心	世	大	

昭	卅二	冬		……宋仲幾衞「世」叔申。	世	大	
定	十	秋		宋樂「大」心出奔曹。	世	大	

九組

公	年	季	月	左傳（經文）	公羊	穀梁	備考
莊	七	夏	四	夜中，星「隕」如雨。	霣	隕	
僖	十六	春	正	「隕」石於宋五。	霣	隕	
僖	卅三	冬	十	「隕」霜不殺草。	霣	隕	
定	元	冬	十	「隕」霜殺菽。	霣	隕	

十組

公	年	季	月	左傳（經文）	公羊	穀梁	備考
僖	十四	夏	六	使「鄫」子來朝。	鄫	繒	

公	年	季月	左傳（經文）	公羊	穀梁	備考
	十九	夏 六	「鄫」子會盟於邾。	鄫	繒	
宣	十八	秋 七	邾人戕「鄫」子於「鄫」。	鄫鄫	繒繒	
襄	元	夏	仲孫蔑會……於「鄫」。	合	鄫	

十一組

公	年	季月	左傳（經文）	公羊	穀梁	備考
僖	二六	春 正	公會莒子衛甯「速」盟於向。	遬	速	
成	二	秋 八	衛侯「速」卒。	遬	速	
襄	二十	春 正	仲孫「速」會莒人盟於向。	遬	速	
定	六	春 正	鄭游「速」帥師滅許。	遬	速	

十二組

公	年	季月	左傳（經文）	公羊	穀梁	備考

公	年	季月	左傳（經文）	公羊	穀梁	備考
隱	八	春三	鄭伯使宛來歸「祊」。	邴	邴	
	八	春三	我入「祊」	邴	邴	
	九	冬	公會齊侯於「防」	邴	防	祊、防非一地

十三組

公	年	季月	左傳（經文）	公羊	穀梁	備考
莊	十二	秋八	宋萬弑其君「捷」。	接	捷	
僖	三十二	夏四	鄭伯「捷」卒。	接	捷	
文	十四	秋七	晉人納「捷」菑於邾。	接	捷	

十四組

公	年	季月	左傳（經文）	公羊	穀梁	備考
僖	元	夏六	邢遷於「夷」儀。	陳	夷	

襄	二四	秋八	公會晉侯……於「夷」儀。	陳	夷	
哀	十	夏五	薛伯「夷」卒。	寅	夷	

十五組

公	年	季月	左傳（經文）	公羊	穀梁	備考
文	十三	冬十二	鄭伯會公於「棐」。	斐	棐	
宣	元	秋	宋公……於「棐」林伐鄭。	斐	棐	
襄	十	冬	盜殺鄭公子「騑」……。	斐	斐	

十六組

公	年	季月	左傳（經文）	公羊	穀梁	備考
昭	十	秋七	季孫「意」如叔弓……。	隱	意	
	十一	秋	季孫「意」如會……。	隱	意	

	卅一	春正	季孫「意」如會……。	隱	意	

十七組

公	年	季月	左傳（經文）	公羊	穀梁	備考
昭	七	春三	叔孫「婼」如齊涖盟。	舍	婼	
	十	秋九	叔孫「婼」如晉。	舍	婼	
哀	六	秋七	齊陳乞弒其君「荼」。	舍	荼	

十八組

公	年	季月	左傳（經文）	公羊	穀梁	備考
隱	元	春三	公及……盟於「蔑」。	眛	眛	
文	七	夏四	晉先「蔑」奔秦。	眛	蔑	
昭	十五	春正	呈子夷「末」卒。	眛	末	

十九組

公	年	季月	左傳（經文）	公羊	穀梁	備考
僖	四	冬十二	公孫「茲」帥師會……。	慈	茲	
	十六	秋七	公孫「茲」卒。	慈	茲	
	廿三	夏五	宋公「茲」父卒。	慈	茲	

二十組

公	年	季月	左傳（經文）	公羊	穀梁	備考
僖	十二	冬十二	陳侯「杵」臼卒。	處	杵	
文	十六	冬十一	宋人弒其君「杵」臼。	處	杵	
哀	五	秋九	齊侯「杵」臼卒。	處	杵	

二十一組

公	年	季月	左傳（經文）	公羊	穀梁	備考
宣	三	春正	楚子伐「陸」渾之戎。	賁	陸	
昭	十七	秋八	晉……滅「陸」渾之戎。	賁	陸	

二十二組

公	年	季月	左傳（經文）	公羊	穀梁	備考
昭	元	春正	叔孫豹會……國「弱」……	酌	弱	
昭	十一	秋	季孫意如會……國「弱」……	酌	弱	

二十三組

公	年	季月	左傳（經文）	公羊	穀梁	備考
隱	四	春二	衞「州」吁弒其君完。	州	祝	

公	年	季	月	左傳（經文）	公羊	穀梁	備考
	四	秋	九	衛人殺「州」吁於濮。	州	祝	

二十四組

公	年	季	月	左傳（經文）	公羊	穀梁	備考
莊	十七	春		齊人執鄭「詹」。	瞻	祝	
	十七	秋		鄭「詹」自齊逃來。	瞻	祝	

二十五組

公	年	季	月	左傳（經文）	公羊	穀梁	備考
襄	三十	春	正	楚子使薳「罷」來聘	頗	罷	
昭	六	冬		楚薳「罷」帥師伐吳	頍	罷	

二十六組

公	年	季月	左傳（經文）	公羊	穀梁	備考
文	十	冬	楚子蔡侯次於「厥」貉。	屈	厥	
襄	元	夏	晉韓「厥」帥師伐鄭。	屈	厥	

二十七組

公	年	季月	左傳（經文）	公羊	穀梁	備考
莊	二	冬十二	夫人姜氏會齊侯於「禚」。	部	禚	
	四	冬	公及齊人狩於「禚」。	部	部	

二十八組

公	年	季月	左傳（經文）	公羊	穀梁	備考
隱	二	夏五	無「駭」帥師入極。	駭	侅	

八	冬十二	無「駭」卒。	駭	侅	

二十九組

公	年	季月	左傳（經文）	公羊	穀梁	備考
昭	十六	春	楚子誘戎「蠻」子殺之。	曼	蠻	
哀	四	夏	晉人執戎「蠻」子赤……	曼	蠻	

三十組

公	年	季月	左傳（經文）	公羊	穀梁	備考
僖	五	夏	公及……於首「止」	戴	戴	
	五	秋八	諸侯盟於首「止」	戴	戴	

三十一組

公	年	季月	左傳（經文）	公羊	穀梁	備考
莊	二三	春正	陳人殺其公子「御」寇。	禦	禦	
僖	九	春三	宋公「御」說卒。	禦	禦	

三十二組

公	年	季月	左傳（經文）	公羊	穀梁	備考
僖	二三	春	公伐邾取須「句」。	朐	句	
文	七	春三	取須「句」。	朐	句	

三十三組

公	年	季月	左傳（經文）	公羊	穀梁	備考
成	十八	冬	晉侯使士「魴」來乞師。	彭	魴	

公	年	季月	左傳（經文）	公羊	穀梁	備考
襄	十二	夏	晉侯使士「魴」來聘。	彭	魴	

三十四組

公	年	季月	左傳（經文）	公羊	穀梁	備考
成	六	冬	晉欒書「帥」師救鄭。	率	帥	
成	十七	春	衛北宮括「帥」師侵鄭。	率	帥	

三十五組

公	年	季月	左傳（經文）	公羊	穀梁	備考
襄	十一	秋七	同盟於「亳」城北。	京	京	
哀	四	夏六	「亳」社災。	蒲	亳	

以上列表，計三十五組，各組異文於各傳經文內，大體皆能整齊一致。但亦有特別現象。如第一組三傳經文互異者十。左氏、穀梁九處作「鄆」，哀公十二年作「郎」。而公羊概作「運」。類此者，二、三、五、七、八、十、十二、十四、十五、十七、十八、二十七、三十五等各組亦有之。然全部三十五組計收一百一拾一異文，而類此特異者，不過十餘字而已。就整體言之，視爲異文中之異文（或異外之訛誤）可也。

總之，三傳經文中，某異文出現兩次以上，而該字於某一經文內，旣有一致之寫法，顯然亦非傳抄，或字體破損等意外之訛誤所造成。因春秋原只有一部，傳抄或意外之訛誤，其結果必不能如此之整齊而一致也。考此類異文間，多爲音同或音近者，如鄆、運；寧、甯；郕、盛等等，讀音旣同，當「口傳」「口授」之際，不見原文，著竹帛者，先用某字，而下文乃習用某字，方可有如此之結果也。至於前言異文中之異文，乃眞正爲傳抄或意外之訛誤也。

四、由春秋異文有符合錢大昕所謂「古無輕脣音」「古無舌上舌頭之分」之事實看：錢大昕於十駕齋養新錄曰：「古無輕脣音，凡輕脣之音，古讀皆如重脣。」錢氏且舉例曰：「俘與寶通，春秋齊人來歸衞俘。公、穀俘作寶。」

考三傳經文類此而致異者甚夥。如下表：

公	年	季月	左傳（經文）	公羊	穀梁	備考
隱	八	三	鄭伯使宛來「歸祊」。	歸邴	歸邴	
	八	三	庚寅我「入祊」。	入邴	入邴	
	八	九	公及莒人盟於「浮來」。	包來	包來	
	九	冬	公會齊侯「於防」。	於邴	於防	
莊	六	冬	齊人來歸「衞俘」。	衞寶	衞寶	左氏傳文亦作衞寶。
	二八	冬	「築郿」	築微	築微	
文	十三	十二	鄭伯會公「於棐」。	于斐	于棐	
宣	元		宋公……會晉師于「棐林」……。	斐林	棐林	
	十五	秋	仲孫蔑會齊高固於「無婁」。	牟婁	無婁	
成	十八		晉侯使「士魴」來乞師。	士彭	士魴	
襄	十	夏五	甲午遂滅「偪陽」。	偪陽	傅陽	
	十	冬	盜殺鄭公子「騑」。	斐	斐	
	十二	夏	晉侯使「士魴」來聘。	士彭	士魴	

昭	五	秋	七	叔弓帥師敗莒師於「蚡泉」。	濆泉	賁泉

錢(大昕)氏又曰：「古無舌上、舌頭之分，舌上統歸舌頭。」三傳經文類此致異者亦頗不少。如：

公	年	季	月	左傳(經文)	公羊	穀梁	備考
桓	十二	夏	六	公會杞侯莒子盟於「曲池」。	毆蛇	曲池	
僖	五	夏		公及……會王子於「首止」。	首戴	首戴	
	五	秋	七	諸侯盟於「首止」。	首戴	首戴	
定	十			宋公子「地」出奔陳。	池	地	

觀此類異文，無論「祊、防」之與「邴」；「俘」之與「寶」；「鄑」之與「微」；「棐、斐」之與「騑」；「無」之與「牟」；「偪」之與「傅」；「舫」之與「彭」；「蚡」之與「濆、賁」；「曲池」之與「毆蛇」；「止」之與「戴」；「地」之與「池」，在字形與字義上，均相去甚遠，一般傳抄誤書，字形殘脫等等，均不易有此訛誤。此一現象，顯然由於古時音近，古讀輕脣既如重脣，舌上總歸舌頭，故於「口授」「口傳」之際，聞聲而不

見字，且此類異文多爲人名、地名，和經義無大關聯性，口傳者心中或自以爲祊，而聞受者或自以爲祊，乃書之以「祊」也。

總之，據以上所述四事，堪可認定者二，一曰春秋確有「口授」「口傳」之事實在。二曰，春秋異文特多，究其原因，主要由於「口授」「口傳」之所致也。

貳、三傳經文何者近古之商榷

三傳經文之異，其主要原因，旣由當初「口授」「口傳」所致，蓋何者最爲接近孔子手著之古本耶？茲就現在可考之資料，考之如下：

一、從三傳流傳之「口授」「口傳」資料多寡看：

考春秋除前文所述孔子口授傳經，史記、漢書各有所記之外，三傳之傳亦多「口授」「口傳」之說（三傳除左氏傳附經之早晚曁左傳與春秋之關係，各家頗有爭議外，公羊、穀梁，全屬逐字逐句解經，二傳與經文之關係，可謂如血肉之不可分，故三傳之「口授」「口傳」與春秋有密切之關係也。）茲將三傳早期之傳，略述於下：

1公　羊

漢書藝文志有「公羊傳十一卷」，文下注之曰：「公羊子，齊人。」顏師古復注之曰：

「名高」。即齊人公羊高也。

又徐彥疏引戴宏序曰：

子夏傳與公羊高，高傳與其子平，平傳其子地，地傳其子敢，敢傳其子壽。至漢景帝時，壽乃與弟子齊人胡母子都，著於竹帛。

此知公羊傳雖原於子夏，但其傳乃齊人公羊高子孫五代口授，至漢景帝時，始著於竹帛。即太史公所謂「言春秋於齊、魯自胡母生，於趙自董仲舒。」也。故公羊純係齊「一家」之傳，且口授五代之久，經文竄亂訛誤，進而有方音之滲入，乃必然之結果也。

2 穀　梁

漢書藝文志有「穀梁傳十一卷」文下注之曰：「穀梁子，魯人。」顏師古復注之曰：「名喜。」唯唐楊士勛疏曰：「穀梁子，名淑，字元始，魯人。一名赤。」又曰：

受經於子夏，爲經作傳，故曰穀梁。傳孫卿，孫卿傳魯人申公，申公傳博士江翁，其後魯人榮廣大善穀梁，又傳蔡千秋，漢宣帝好穀梁，擢千秋爲郎，由是穀梁之傳，大行於世。（楊士勛春秋穀梁傳疏范寧序下。）

漢書藝文志曰：

……及末世口說流行，故有公羊、穀梁、鄒、夾之傳。（註二）

又公羊隱公第一唐徐彥疏云：

問曰：左氏出左丘明，便題云左氏；公羊、穀梁出自卜商，何故不題曰卜氏傳乎？答曰：左氏傳者，丘明親自執筆爲之，以說經意，其後學者題曰左氏矣。且公羊者子夏口授公羊高，高五世相授，至漢景帝時，公羊壽共弟子胡母生乃著竹帛，胡母生題親師故曰公羊，不說卜氏矣。穀梁者亦是著竹帛者題其親師，故曰穀梁也。

知穀梁與公羊原皆經過口授時期，後乃著竹帛，惟穀梁爲何人著於竹帛，已不可知，如四庫全書總目春秋穀梁傳注疏提要云：

晉范甯集解，唐楊士勛疏，其傳則士勛疏稱，穀梁子名俶，字元始，一名赤，受經於子夏，爲經作傳，則當爲穀梁子所自作。徐彥公羊傳疏又稱，公羊高五世相授，至胡母生乃著竹帛，題其親師，故曰公羊傳。穀梁亦是著竹帛者題其親師，故曰穀梁傳，則當爲傳其學者所作……疑徐彥之言爲得其實，但誰著於竹帛，則不可考耳。

總之，穀梁傳亦源於子夏。其傳人自魯人穀梁赤以下。除孫卿趙人之外，餘皆魯人，故穀梁學，一般謂之魯學，自穀梁赤以下，「口授」之說似亦存焉，惟著竹帛者不可考耳。

3 左　傳

據史記、漢書所載，左傳乃魯人左丘明所作（註三），徐彥且謂左丘明親自執筆爲之，以說經意（註四）。其早期傳授情形大致如王應麟考證引別錄所云：

左丘明授曾申，申授吳起，起授其子期，期授楚人鐸椒，作抄撮八卷，授虞卿，虞卿作抄撮九卷，授荀卿，荀卿授張蒼。

經典釋文序錄亦曰：

左丘明作傳以授曾申，申傳衞人吳起，起傳其子期，期傳楚人鐸椒，椒傳趙人虞卿，卿傳同郡荀卿名況，況傳武威張蒼……。

觀此，知左傳之傳，似少「口授」「口傳」暨「著竹帛」等情勢在。

又春秋、左傳皆爲古文，自古有說。如許愼說文序曰：

至孔子書六經，左丘明述春秋傳皆以古文。

又曰：

魯恭王懷孔子宅而得禮記、尙書、春秋、論語、孝經。

又曰：

又北平侯張蒼獻春秋左氏傳，郡國亦往往於山川得鼎彝，其銘即前代之古文，皆自相似。

又劉歆移博士書曰：

魯共王得古文，逸禮有三十九篇，書十六篇，及春秋左氏丘明所修，皆古文舊書。

且許愼五經異義（註五）有古尚書說，今尚書夏侯歐陽說，……古春秋左氏說，今春秋公羊說等。古今經說皆分別言之。知左氏古文（或出孔壁、或出民間），確有其說。尤其漢書藝文志對春秋左傳之所以藏壁間，有其伏筆，藝文志曰：

弟子退而異言，丘明恐弟子各安其意，以失其眞，故論本事而作傳，明夫子不以空言說經也。春秋所貶損大人，當世君臣，有威權勢力，其事實皆形於傳，是以隱其書而不宣，所以免時難也。

唯後人多以劉歆爲左傳爭立學官，抑公、穀而篡改古書，故疑該文經劉氏所改，所謂「爲免時難，隱其書而不宣」等語，爲其「孔壁古文」立根也（註六）。亦有謂左氏不傳春秋（註七），左傳原書實爲國語之一部分（註八），左傳非左丘明所作者（註九）。然迄今均尚未成定論。

結語

總之，左傳古文，確有其說，左傳早期流傳中，「口授」「口傳」之說少。

公羊，穀梁一般雖皆謂原自子夏，但其傳人則分爲齊魯。公羊爲齊公羊氏「一家」自傳，「口授」「口傳」之說最盛；穀梁魯學，「口授」「口傳」之說次之；左氏古學，「口授」

「口傳」之說最少。據此推之，公羊似去春秋古本最遠，穀梁次之，左氏最近。

二、由方音滲入三傳經文彼此之同異情形看：

據前述第二類資料，知三傳經文，確有方音滲入。且三傳經文方音滲入之同異，似有一定之規律，如前述之「邾」與「邾婁」，百餘稱中，公羊概作「邾婁」，左氏、穀梁全作「邾」，幾無一例外，前文述之已詳；「莒」之與「衞」，公羊一家作「衞」，左氏，穀梁概作「莒」；「安甫」之與「窐」，公羊亦獨家作「窐」，左氏、穀梁概作「安甫」。茲將此表列如下：

左傳（經）	公羊	穀梁	備考
邾	邾婁	邾	百餘稱無一例外。
莒	衞	莒	
安甫	窐	安甫	

觀此，一目了然，公羊乃齊「一家」之言，方音自成一系。春秋魯史，孔子魯人，穀梁魯學，左氏魯人，故穀梁，左氏能一仍魯音之舊。此誠如陳新雄君所謂「左氏古文，仍宣尼之

本元，穀梁子魯人，故多魯音，二傳「安甫」蓋魯語如是也。」（見陳氏春秋異文考二二二頁）

總之，據三傳經文方音滲入之情形看，左氏、穀梁之經文更較公羊近春秋古本也。

三、由三傳春秋異文彼此同異之大勢看：

茲據前述第三類資料所列三十五組，計一一一異文，再作進一步之比較考察看，發現左氏與穀梁同者八十七字，左氏與公羊同者十一字，公、穀同者十三字。

此知左氏與穀梁同者佔絕大多數（幾佔百分之八十）。左氏與公羊；穀梁與公羊同者不但極少，而且此兩組相同之字數近（十一，十三）。此一現象，顯然說明公羊經文在春秋異文中，較爲孤立。雖然孤立者不能肯定不近孔子古本，但就常理言，三者相異，兩兩相同而又多數相同者，當更能接近古本，尤其是因「口授」「口傳」而造成之異文。

總之，據此三十五組，一百一十一異文，三傳彼此同異之大勢看，當以公羊去春秋古本遠，左氏、穀梁去春秋古本近也。

四、由逐字考證前述第四類（異文）資料之結果情形看：

考前述第四類資料，即「古無輕唇音，凡輕唇之音，古讀皆如重唇」所形成之異文，如「祊」之與「邴」，「俘」之與「寶」等。既因「口授」「口傳」之際，聞聲而不見字，乃有此異文之造成，故當有正誤之別也。不然，不但於經義易生困擾，於人名、地名、國名亦易生混淆也。如隱八年左傳之「歸祊」「入祊」之祊爲鄭邑，九年會於「防」之防乃魯地。而公羊概作「邴」，據此（公羊）實不知其爲鄭邑爲魯地也（註十）。茲將前列此類異文，逐字考其正誤如下：

1.「祊」「防」「邴」

隱八年，左傳（經）「歸祊」「入祊」，九年「會於防」。公羊均作「邴」，而穀梁前二者作「邴」，後者作「防」。

案：「祊、防」與「邴」，以今音讀之，有輕重脣之分，然古音無別，從「方」、從「丙」之字，古書多相通用，故有謂此處之「祊」「防」「邴」亦相通用者，如陳第毛詩古音考曰：

怲音方，愚案，說文仿，相似也。从人方聲。又作俩。云籒文方从丙，是方丙古同音也。周禮枋亦音柄，非其證乎？

顧炎武唐韻正三十八梗曰：

邴古音補往反，春秋隱八年鄭伯使宛來歸祊。「祊」字公羊、穀梁傳並作邴。九年公會齊侯於防。公羊傳作「邴」。急就篇邴勝箱，注：邴亦作祊音柄，又音丙。案古字从丙、从方多通用，晉陸雲贈鄭曼季詩，發憤潛惟，怲佛有思。即彷彿字。玉篇仿，方往切。一作柄。

又臧壽恭春秋左氏古義曰：

邴正字，祊假借字。古字从方从丙多通用。儀禮士冠禮有祊。鄭注云：今文祊爲柄。少牢饋食禮南柄。鄭注云：古文柄爲方。據此則祊爲古文假借字，邴爲今文正字，左氏爲古學，故作祊，二傳爲今學，故作邴。

然該處地名「祊」、「防」、「邴」實自有別。

考，祊．左氏經文「鄭伯使宛來歸祊。」左傳曰：

鄭伯請釋泰山之祀，而祀周公，以泰山之祊易許田，三月鄭伯使宛來歸祊，不祀泰山也。

杜注曰：

鄭祀泰山之邑。在瑯邪費縣東南。

孔疏曰：

傳言鄭釋泰山之祀，使來歸祊，知祊是鄭祀泰山之邑。鄭以桓公之故，受邑泰山之下，天子祭泰山必從往助祭，使共湯沐焉。故公羊謂之湯沐之邑，既有此邑，因立別廟。劉炫云：「言祀泰山之邑者，謂泰山之旁有此邑。」

江永春秋地理考實曰：

祊，今兗州府費縣治，故祊城是也。

日人竹添光鴻左傳會箋曰：

今沂州府，費縣治西有古祊城。

此知，歸祊、入祊之「祊」爲鄭邑，近泰山，今山東費縣境。且自春秋迄今均以「祊」名。而非「邴」也。

至於公會齊侯於防之「防」，杜注曰：

防，魯地也。在瑯邪，華陰縣東南。

江永春秋地理考實引彙纂曰：

防，今袞州府，費縣東北六十里有華城，即華縣也。

日人竹添光鴻左傳會箋曰：

魯有三防，此漢泰山郡華縣之防，所謂東防也。莊二十二年之盟，莊二十九年、襄十三年之城，襄十七年之圍，皆此邑也。

由上述可知，會防之防乃魯地。而公羊將歸祊、入祊之鄭邑和會於防之魯地，概書之曰「邴」，使此二地淆混不清。且魯、鄭無邴，邴乃宋下邑。說文曰：「邴，宋下邑。」雖然段注曰：「下邑，猶言小邑。左傳邴歜邴意茲邴洩邴夏，皆非宋人。公羊隱八年歸邴入邴，九年會齊侯於邴皆非宋地。」但混亂之局仍在也。

總之，「歸祊」「入祊」「會於防」，均以左氏經文爲是。公羊當因「口授」「口傳」致誤；穀梁亦因「口授」「口傳」有誤（歸邴、入邴），有正（會於防）也。

2.「浮」「包」、「俘」「寶」。

隱八年九月辛卯，左氏經文「公及莒人盟於浮來。」公、穀皆作「包來」。考浮，說文：「浮，汎也。从水孚聲。」段注曰：「縛牟切。三部。」包，說文：「包，妊也。象人褱妊巳在中象子未成形也。」段注：「布交切，古音在三部。」

浮、包古音既近，浮、包暨从孚从包之字古多通用，故有人謂該地「浮來」「包來」亦通用。如桂馥說文解字義證烰字下云：

馥案：炰鼈者，烝鼈也。炰即烰之異文，烰轉爲炰者，孚包聲相近；捊抱脬胞可證。隱八年公羊經「公及莒人盟於包來」，左氏作「浮來」。

呂氏春秋，桴人即庖人。漢書楚元王傳，浮邱伯，鹽鐵論作包邱子。

然浮、包二字雖音近通叚，而本義有別，於該地仍應再加考察。

案，浮來，杜注曰：「浮來紀邑。東莞縣北有邳鄉，邳鄉西有公來山，號曰邳來間也。」

江永春秋地理考實曰：

彙纂，今莒州西二十里有浮來。今案浮來莒邑，非紀邑。

沈欽韓左傳地名補注曰：

齊乘浮來山在莒州西三十里，明公鼐據水經注沂水東逕蓋縣故城南，又東逕浮來之山，浮來水注之，春秋「公及莒人盟於浮來」者也。又曰大峴水東南流逕邳鄉東，東南注於沭，酈氏所紀則邳鄉爲峴山水所經，其去峴山非遠，正沂水縣西北之境，況沂水下流不由莒地，若如齊乘言浮來在莒西三十里，去沂水甚遠，水經注安得浮來水注沂乎？後世不識浮來所在，遂以莒城西山當之耳。

顧棟高春秋大事表輿圖蒙陰縣下曰：

紀浮來在縣西北三十里，有浮來山。

由上可知，「浮來」之地，其名與浮來山、浮來水一，且該地至今仍以「浮來」名，知該文當以左氏「盟於浮來」爲妥。公、穀因「口授」乃造成以音近之「包」字代之之事實。再者，穀梁范甯集解曰：「包來，宋邑。」知包來似另有所指也。

莊六年，左氏經「齊人來歸衞俘。」左氏傳作「衞寶」。公、穀經傳均與左氏傳文同作「寶」。

前賢對此一問題看法大別有三：

一曰左氏經誤說：杜預注左氏經曰：「公羊、穀梁經傳皆言衞寶，此傳亦言寶，唯此經言俘，疑誤俘囚也。」孔疏曰：「正義曰，釋例曰齊人來歸衞寶，公羊、穀梁經傳及左氏傳皆同，唯左氏經獨言衞俘，考三家經傳有六，而其五皆言寶，此必左氏經之獨誤也。案說文保从人𤓽省聲，古文保不省，然則古子通用寶，或保字與俘相似，故誤作俘耳。杜旣以爲誤，而又解俘爲囚，是其不敢正決，故且從之。」

二曰「俘」「寶」義同說：顏師古曰：「經書齊人來歸衞俘，傳言衞寶，公羊、穀梁經並爲寶。杜預注云：疑左氏傳經誤。按爾雅云：俘取也。書序曰：遂伐三朡，俘厥寶玉，然則所取衞之寶而來獻之，經傳相會，義無乖爽，豈必俘即是人？杜氏之說爲不通矣。」

三曰「俘」爲「寶」之假借說：段玉裁說文注曰：「春秋左氏經，齊人來歸衞俘，傳作衞寶，公羊、穀梁經傳皆作衞寶，杜曰，疑左氏經誤。按非誤也。俘孚聲，寶缶聲，古音同在尤幽部，經用假借字，傳用正字。」（見說文「俘，軍所獲也。」注）。臧壽恭曰：「顏訓俘爲取，孔以俘爲保之誤，皆不知俘爲寶之借耳。」

案，本文既左氏傳，公羊、穀梁經傳五處作寶，僅左氏經一處作俘。且春秋早期必以古文書寫，古文寶（通保，古文作[illegible]）俘（[illegible]）形近（見上文一說孔疏之言）、音近易訛。故該文當以寶字爲正。

3「郿」、「微」、「麋」

莊二十八年，左氏經：「冬，築郿。」公羊「冬，築微。」釋文：「微，左氏作麋。」穀梁同公羊。釋文亦曰「微，左氏作麋。」

錢大昕十駕齋養新錄曰：

古讀微如眉，少牢禮眉壽萬年，注古文眉爲微。春秋莊二十八年築郿，公羊作微。詩勿士行枚，傳枚微也。

知郿、微，今音有輕重脣之分，古音同讀重脣。

郿，說文：「郿，右扶風縣，从邑眉聲。」段注：「武悲切，師古音媚，十五部。」

微，說文：「微，隱行也。从彳，𢼸聲。」段注：「無非切，十五部。」

又儀禮士冠禮：「眉壽萬年」鄭（玄）注曰：「古文眉作麋」。而郿字又「从邑眉聲」，故可知郿、微、麋，古皆同音，常相通假而混用。然於該地名，後世多以「微」名，如春秋地理考實曰：

經，築郿，公、穀皆作微。杜注郿魯下邑。彙纂，京相璠曰：壽張西北三十里，有故微鄉，魯邑也。今兗州府，東平州西有微鄉城。今按壽張故城在東平州，州今屬泰安府。

沈欽韓春秋左氏傳地名補注曰：

經，築郿。水經注：濟水又北，經微鄉東，京相璠曰：公羊傳謂之微，東平壽張縣西北三十里有故微鄉，一統志壽張故城在今兗州府，壽張縣東南五十里微鄉，今在縣南。

竹添光鴻左傳會箋曰：

公、穀郿作微，釋文云：「左作郿，據杜本也。」於公穀音義又云：「左作麋，據賈服本也。」郿、微、麋三字同音，古多通假。儀禮士冠禮眉壽，鄭注古文眉作麋，少牢饋食禮，眉壽，鄭注古文眉作微，可證。今泰安府東平州壽張縣，西北三十里有故微鄉。

此知該地後世均以「微鄉」名。又顧棟高春秋大事表輿圖壽張縣下曰：「魯郿在縣東南五十里。」程旨雲先生曰：「郿，續山東考古錄謂在東平縣西。從考古錄。」顧程二先生均就左氏言，故曰「郿」，所謂「在縣東南五十里」「在東平縣西。」均指「微鄉」而言。唯未明言微鄉而已。

總之，該地既一直以「微鄉」名，故該文當宜從公、穀作「微」爲正。

4「棐」「斐」「騑」

文十三年，十有二月，左氏經「鄭伯會公于棐」。宣元年秋，「會晉師於棐林」。二「棐」字公羊經全作「斐」，穀梁同左氏。

案，棐、斐，今音同讀輕脣，古音同爲重脣。

棐，說文：「棐，輔也。从木，非聲。」段注：「府尾切，十五部。」

斐，說文：「斐，分別文也。从文，非聲。」段注：「敷尾切，十五部。」

二字古音既同，故常相通假，但二字於該地名實仍應有所分別。

考左氏經「會公於棐」下，杜預注曰：「棐，鄭地」。穀梁集解亦曰：「棐，鄭地」。杜預在「於棐林」下注曰：「棐林，鄭地，滎陽宛陵縣東南有林鄉。」彙纂曰：「棐，杜注鄭地，即棐林。路史開封宛陵有棐林林鄉宛陵故城，今屬河南開封府新鄭縣東二十五里，林鄉城是其地也。」

沈欽韓左傳地名補注曰：

經會公於棐：水經注華水東逕棐城北，即北林亭也。

於棐林：一統志棐城在鄭州東南，方輿紀要林鄉城在開封府新鄭縣東二十五里，春秋之棐林。

顧棟高春秋大事年表輿圖「許州府新鄭縣」之下曰：

棐即棐林，在縣東二十五里。

竹添光鴻左傳會箋亦謂「棐即棐林，鄭地。林鄉城今在新鄭縣東二十五里，屬開封府。」總之，據以上各家說可知：棐即棐林，亦即林鄉城。地在今之新鄭縣東二十五里，自古迄今均以棐、棐林、棐城、林鄉城名之。而無公羊之「斐」字也。知左氏穀梁之「棐」字爲正。公羊因「口授」而以音同之「斐」字代之也。

又襄十年冬，左氏經「盜殺鄭公子騑」，公、穀均作「鄭公子斐」。

案：騑、斐，今音讀之同爲輕脣，古音同爲重脣。

騑，說文：「騑，驂也。旁馬也。从馬非聲。」段注曰：「甫微切，十五部。」

斐，說文：「斐，分別文也。从文非聲。」段注：「敷尾切，十五部。」

騑，斐古音既同，故常相通假。但騑、斐本義有別，於人名當有正、有誤。王引之春秋名字解詁，於鄭公子騑字子駟下云：

說文：騑，驂旁馬。駟，一乘也。墨子七患篇云：凶吉存乎國人，君徹驂騑，謂但駕兩服，不駕兩驂也。秦風小戎正義云：車駕四馬，在內兩馬謂之服，在外兩馬謂之騑。春秋時鄭公子騑，字子駟，是有騑乃成駟也。桓三年，左傳正義云：驂馬名騑者，以駟馬有騑騑之容。故少儀云：騑騑翼翼。案騑之言分列也。騑之言妃也，左右相配也。騑之言腓也，與兩服相芘倚也。

鄭公子騑既以子駟爲字，騑、駟之關係已如上述，且古人名與字間輒有意義之關聯在，則該文當以左傳經之「騑」字爲正。

再看，左氏經文十三年「鄭伯會公於棐」，宣元年「會晉師棐林」襄十年「鄭公子騑」，左氏經「棐」「騑」有別，而公羊概作「斐」，公羊顯然有混用現象。該二字雖可曰同音通假，實則音同「口授」致誤也。穀梁或同左氏作「棐」（於棐、於棐林），或同公羊作斐（公子斐）。當因「口授」之際，聞聲而不見字，或巧合、或不巧合也。

5「魴」「彭」

成十八年左氏經「晉侯使士魴來乞師。」襄十二年「夏，晉侯使士魴來聘。」公羊「魴」概作「彭」；穀梁同左氏。

案：魴、彭，今音讀之有輕重脣之分，古音同爲重脣。

魴，說文：「魴，赤尾魚也。从魚、方聲。」段注：「符方切，十部。」

彭，說文：「彭，鼓聲也。从豆、从彡。」段注：「薄庚切，古音在十部。同旁。」又說文：「鬃或从方作祊」（已見前文），知魴、彭、鬃、祊等字古均同音，故常相通假，但魴、彭本義不同，該文終有正、假之別。

考成十八年，在此一年間左氏傳文即三稱士魴（1，使荀罃、士魴逆周子。2，使魏相、士魴、魏頡、趙武爲卿。3，晉士魴來乞師。）穀梁於成十八年，襄十二年均同左氏稱士魴。公羊雖作士彭，但公羊襄十二年疏云：「考諸正本，皆作士魴，字若作士彭者誤矣。」朱珔說文叚借義證亦謂彭乃魴之叚。朱氏曰：「左氏成十八年經，晉侯使士魴來乞師，公羊作士彭，是彭當爲魴之假借。」

總之，該文既左氏經傳、穀梁經傳多處均作「士魴」，公羊襄十二疏暨朱氏說文叚借義證均以「魴」字爲正。雖無其他積極證據，似仍可認定「魴」字爲正。「彭」乃「魴」之假也。

6「無」「牟」

宣十五年，左氏經「仲孫蔑會齊高固于無婁。」「無婁」公羊作「牟婁」。穀梁同左氏。

案：無、牟，今音有輕重脣之分，古音全讀重脣。此一現象，錢大昕十駕齋養新錄論古無輕脣音舉例曰：「古讀無如模，……無又轉如毛。」此外，方言：「憮㤉憐牟愛也。韓鄭曰憮，宋魯之間曰牟。」

又無，說文：「無，亡也。从亡𣞤聲。」段注曰：「武夫切，五部。古音武夫與莫胡二切不別，故無、模同音。」

牟，說文：「牟，牛鳴也。从牛、乙象其氣乞從口出。」段注：「莫浮切，三部。」

知無、牟古音近，故常相通假。但於該地名，似仍有正假之別。

考隱四年左氏經「莒人伐杞取牟婁。」之「牟婁」，公、穀同。即本文（宣十五年）左氏之「無婁」也。杜預於隱四年左氏經下注之曰：「牟婁，杞邑也。城陽諸縣東北有婁鄉。」彙纂曰：「在今山東青州府諸城縣境」。古今地名詞典牟山條下曰：

在山東安丘縣西南十五里，隋牟山縣取名於此。齊乘：安丘南二十里，有牟婁山，本牟夷國。密之諸城有婁鄉，隋因置牟山縣，今訛作朦朧山。

此知「無婁」在左氏經傳他處亦稱「牟婁」，且「牟婁」之名，自古與國名（牟夷國）、山名（牟婁山）、縣名（牟山縣）等等相關聯。故此文當以公羊之「牟婁」爲是。

7「偪」「傅」

襄十年，左氏經「夏五月甲午，遂滅偪陽。」公羊同左氏。穀梁「偪陽」作「傅陽」。

案：偪，說文無偪字。朱駿聲說文通訓定聲曰：「畐字亦作偪」。說文：「畐，滿也。」

段注：「畐偪正俗字也。」說文又曰：「从高省，象高厚之形。讀若伏。」段注：「芳逼切，按畐伏二字，古音同在第一部。」

傅，說文：「傅，相也。从人尃聲。方遇切，五部。」。

偪、傅今音有輕重脣之分，古音同屬重脣。即陳新雄教授所謂「偪傅二字古同部位雙聲，故相通轉也。」（註十二）然偪、傅終是二字。該地名原爲何字，考證如下：

考杜預注左氏經「遂滅偪陽」曰：「偪陽，妘姓國，今彭城傅陽縣也。」漢書地理志：「楚國：傅陽，故偪陽國。莽曰輔陽。」竹添光鴻左傳會箋曰：

偪陽，祝融之後也。出鄭語。偪陽近魯、宋、曹三國，亦近楚界。恃其城小而固，附楚而不與中原之會盟，故諸侯滅之以通吳晉往來之道。雖近楚界，去郢絕遠，非陳蔡比，故楚亦不能救也。今山東兗州府嶧縣南五十里有偪陽城。漢地理志，楚國傅陽故偪陽國，莽曰輔陽，後漢陶謙傳注傅陽縣名，屬彭城國，本春秋時偪陽也。楚宣王滅宋，改曰傅陽。

由以上各家說可知，該地本名偪陽，原爲偪陽國，「傅陽」乃楚滅宋後之名也。王莽時又名輔陽。後世以「傅陽」爲縣名。但於該城仍以「偪陽」名，曰偪陽城。又筆者祖籍山東嶧縣，縣城南約三十公里處，有偪陽城故址，且有偪陽君墓。仍以「偪陽」名。附近無人家，現僅存一高台，佔地約兩公頃餘。傳為春秋時偪陽子之墓。

總之，據古、今資料看，該地原名當為「偪陽」。以左氏、公羊之「偪陽」為正。

8「蚡」「濆」「賁」

昭五年，左氏經「戊辰，叔弓帥師敗莒師於蚡泉。」「蚡泉」公羊作「濆泉」；穀梁作「賁泉」。

錢大昕十駕齋養新錄曰：

古讀僨如奔。禮射儀賁軍之將註，賁讀為僨，覆敗也。詩行葦傳引作奔軍之將。此知僨、賁，皆讀如奔。又臧壽恭左氏古義曰：

宣十七年「苗賁皇」說苑善說篇作「坌黃」，是賁與蚡通。

又說文：「濆，水厓也。从水，賁聲。」

故知蚡、賁、濆古音同讀重脣如奔，乃有此通假混用之情事也。

但於該地名，杜預注曰：「蚡泉，魯地。」公羊釋文曰：「濆泉，湧泉也。」而彙纂引劉氏敞曰：

公羊曰：濆泉者，直泉也，非也。此地名爾，豈謂戰而泉湧乎？戰而泉湧，固當舉戰地於上，而後書曰有濆泉，不得引濆泉以為戰地也。

陳新雄先生曰：

公羊之說既謬不可從，則當从左氏、穀梁以「蚡泉」爲地名。其地，杜注范集解均云魯地。本師程旨雲先生以爲地應在山東沂水縣境。（見陳君春秋異文考）

總之，該文應爲地名，且地在山東沂水縣境，均無問題。但該地名，左氏、公、穀孰是孰非，因相關資料不足，實難下定論，姑且存疑。

以上異文雖分8組考證，如以左、公、穀每相異一文爲一條，則實際爲十四條。茲分條分字註明正（√）、誤（|）、存疑，列表於下：

公	年	季月	左傳（經文）	公羊	穀梁	備考
隱	八	三	歸祊√	歸邴|	歸邴|	
			入祊√	入邴|	入邴|	
		九	浮來√	包來|	包來|	
莊	九	冬	防√	邴|	防√	
	六	冬	衛俘|（傳作寶。√）	衛寶√	衛寶√	

	二八	冬	郿	微√	微√	
文	十三	十二	棐√	斐|	棐√	
宣	元	秋	棐√	斐|	棐√	
	十五	秋	無|婁	牟√婁	無|婁	
成	十八	冬	魴√	彭|	魴√	
襄	十	夏五	偪√陽	偪√陽	傅|陽	
		冬	騑√	斐|	斐|	
	十二	夏	士√魴	士彭|	士魴√	
昭	五	秋七	蚡泉	濆泉	賁泉	存疑

考上表十四條中：

1. 左正者十。穀梁同左而正者五。
2. 公、穀同正者一。
3. 公、穀經傳、左氏傳同正者一。
4. 公羊獨正者一。

5.存疑者一。

據以上考察，可得一結論。三傳經文，以左氏最近古本，穀梁次之，公羊又次之。

結語

總上四事，可得一總結曰：左氏經最近春秋古本，穀梁次之，公羊去春秋古本最遠。誠如欽定四庫全書總目（春秋左傳正義六十卷）提要所云「今以左傳經文與二傳較勘，皆左氏義長，知手錄之本，確於口授之經也。」

（原載孔孟學報第四十四期今再修正之）

【註釋】

註一　左傳經，隱元年三月「公及邾儀父盟于蔑」之下，杜預註之曰：「邾」，今魯國鄒縣也。」又左傳經僖七年：「夏，小邾子來朝」之下杜預注之曰：「邾之別封，故曰小邾。」

註二　此「口說」有二解，一曰「口頭相傳，未著竹帛」，如王先謙於「夾氏無書」句下曰：「口頭流傳，未著竹帛也。」二曰「空口說經」，即以微言大義解經。如徐復觀先生兩漢思想史，即有類此之論。

註三　史記十二諸侯年表曰：「魯君子左丘明懼弟子各安其意，而失其眞，故具其語，成左氏春秋。」漢書藝文志曰：「丘明恐弟子各安其意，以失其眞，故論本事而作傳，明夫子不以空言說經也。」

註　四　公羊隱公第一唐徐彥疏：「……答曰，左氏傳者，丘明親自執筆爲之，以說經意，其後學者題曰左氏矣。」

註　五　愼著五經異義十卷，見隋書經籍志，今佚。淸陳壽祺撰有五經異義疏證。

註　六　如近人錢玄同左氏春秋考證書後曰：「我從讀新學僞經考及史記探原以後，深信『孔壁古文經』確是劉歆僞造的。」

註　七　如范升云：「左氏不祖孔子，而出於丘明，師徒相傳又無其人。」又如劉逢祿左氏春秋考證等是。

註　八　如康有爲史記經說足徵僞經考，崔適史記探原等是。

註　九　如今人衛聚賢氏左傳之研究。

註　十　此類異文之外，如春秋「杞」「紀」兩小國。春秋中多處錯訛。或以通假釋之，當更加深其混淆不清之困擾也。此一問題請參閱孔孟學報三九期拙作春秋「杞」「紀」錯訛之商榷。

註十一　見陳新雄先生春秋異文考。

拾壹　三傳經文何者最近古本考

提　要

本文主要繼拙作《春秋異文探源》（見《孔孟學報》四十四期）之後，就「三傳」所附《經》文內之異文本身再作個別之考證、分析，以顯現何者最近《春秋》古本。

本文選「三傳」《經》文中某字僅一次互異，而《左氏經》不同於《公》《穀》者，計得六十字。逐字考證，結果發現其中除十六字因資料不足，宜存疑者外，其餘四十四字，因一般古書之訛誤因素（如刊誤，字形殘脫……等）致異者，「三傳」《經》文致異之機率近相等（各有六、七次）、因音近、音同之讀音因素致異者，全爲《左氏經》用正字（計三十餘字）此知《公》《穀》曾因「口授」「口傳」而致異。《左氏經》最近《春秋》古本。

正文前言

今本「三傳」，各有《經》文分別列於「傳」文前。《春秋》原只一部，當無所謂何者最近古本，惟「三傳」《經》文彼此互異者比比皆是，何者爲是，何者爲非，關係《經》文之認知暨史實之考定。先儒時賢，對此異文多所探討，筆者曾有《〈春秋〉異文探源》一文發表於《孔孟學報》四十四期，文中除主體論證「『三傳』《經》文相異如此之多，主要由於早期口授，口傳所造成。」外，並曾附證「三傳《經》文何者更近《春秋》古本」該附證中除探究方音滲入「三傳」《經》文等問題外並曾逐字考證因「古無輕脣音，凡輕脣之音，古讀皆如重脣。」（註一）之讀音因素所形成之「三傳」《經》文異文。今再逐字考證「三傳」《經》文中某字僅一次互異，而《左氏經》完全不同於《公》《穀》者（計六十字），進而列表，分析、結論，以落實「三傳」《經》文何者最近《春秋》古本之事實。

壹、逐字編號考證

一、隱公二年《左氏經》:「九月，紀裂繻來逆女。」

裂繻:《公》《穀》均作履緰。

按《說文・段註》:「裂、繒餘也。从衣列聲，良薛切，十五部。」又「履，足所依也。从尸服履者也，从彳夂，从舟，象履形，力几切，十五部。」顧炎武《唐韻正・十七薛》:「裂上聲則音履。」則知裂，覆古聲同紐，古韻同部。《廣韻・上平十虞》:「繻，傳符帛，緰，衫緰帛也。」並相俞切。知裂繻、履緰音同因而「口傳」易混。然蘇林曰:「繻帛邊也，舊關山出入以傳、傳因裂繻頭合以爲符信也，即《左氏》裂繻字。」趙坦《春秋異文箋》:「裂繻字子帛，則《左氏》作裂繻爲正。」此知以《左氏經》「裂繻」爲正字。

二、隱公二年《左氏經》:「紀子帛莒子盟于密。」

子帛，《公》，《穀》均作子伯。

按:《說文、段注》:「帛、繒也，从巾白聲，旁陌切，古音在五部。伯，長也，从人白聲，博陌切，古音在五部。「帛，伯皆从白聲，故音近相通轉，唯本義有別。裂繻與「繒」義近與「長」義遠。杜預注曰:「子帛，裂繻字也。」據此蓋以《左氏經》文作「帛」爲正。

三、隱公三年《左氏經》:「夏四月辛卯，君氏卒」

君氏，《公》、《穀》均作「尹氏」。

按，「三傳」「君氏」「尹氏」之爭，本書已有專論《『三傳』君氏、尹氏之爭》：結語，「君」「尹」之爭，如以孰近古本，或造成「君」「尹」之異之原因看。則《左氏經》更近古本，因爲是由古文書寫而致異也。

四、隱公五年《左氏經》：「春、公矢魚于棠。」

矢魚、《公》《穀》均作觀魚。

按，陳槃《左氏春秋義例辨》云：「作觀魚者非是。《經》曰矢，《傳》載僖伯之言曰：『則公不射。』《傳》例亦曰書曰公矢魚于棠。可見《經》本作矢魚。」陳氏更有《春秋公矢魚于棠說》一文專論此事，引經據典，結論以「矢魚」爲是。《周禮》亦有「矢其魚而食之」。知該文《左氏經》正。

五、隱六年春《左氏經》：「鄭人來渝平。」

《公》、《穀》「渝平」均作「輸平」。

按，《說文》：「渝，變污也。」「輸，委輸也。」「渝，輸皆从俞聲，故同音通假。《廣雅，釋詁》：《「輸，更也。」王念孫《疏證》：「輸讀爲渝、《左氏春秋》隱六年，鄭人來渝平。《傳》云：更成也。《公羊》《穀梁傳》並作輸，輸，渝古通用。」《爾雅，釋言》：「渝，變也。」郝懿行《義疏》：「通作輸，廣雅云輸更也，更亦變也。《左氏》隱六年《經》鄭人來渝平，《傳》云更成也，《公羊》，

《穀梁》並作輸，《傳》云輸墮也，墮壞亦變更之義。」此知「渝」「輸」音同而義亦近，難分正誤。唯趙坦《春秋異文箋》：「隱公自元年以來，並未與鄭人平，則此書渝平不得爲墮其成，渝輸音近義同，从《左氏》以更成，釋渝平爲允。」趙氏理似得之，但仍難定《左氏經》爲正，似宜兩存。

六、隱九年《左氏經》：「挾卒」

《公》《穀》均作「俠卒」

按：《說文》：「挾，俾持也。从手夾聲。」「俠，俜也。从人夾聲。」挾俠同音通假。趙坦《春秋異文箋》：「挾、俠音義通。」考《詩》「使不挾四方」、《韓詩外傳》作「俠」。《漢書・禮樂志古註》俠與挾同。《季布傳注》俠之言挾也。挾・俠既音同義同則無正誤之分。當並存。

七、桓十五《左氏經》：「公會齊侯于艾。」

艾、《公羊》作「鄗」。《穀梁》作「蒿」。

按：《說文・段注》：「艾，臺也、从艸、乂聲。十五部，五蓋切。」「鄗，常山縣也，从邑鄗聲。呼各切，古音在二部。」「蒿，菣也，从艸，高聲。呼毛切，二部。《離騷》：「戶服艾以盈要兮。」《注》：「艾，白蒿也。」此知「艾」「蒿」音遠而義近。「蒿」「鄗」古音同部。朱駿聲《說文通訓定聲》曰：「《左》隱六年公會齊侯盟于艾，《穀梁》作蒿，《公羊》作鄗，艾者蒿屬，故得通稱。地在今山東蒙陰縣西北有艾山。」既《穀梁》借艾義作「蒿」，《公羊》借蒿音作「鄗」，且今山東蒙陰縣西北仍以「艾山」名，知以《左氏經》文「艾」爲正。

八、桓十七年《左氏經》文：「二月丙午，公會邾儀父盟于進。」

會，《公》，《穀》均作「及」。

按：「會」「及」，「三傳」各有義例（註二）。《春秋》原只一部，義例乃後人語耳，實無從據義例判正誤。唯《左氏傳》文亦曰：「及邾儀父盟于趡」或《左傳》作者所見《經》文猶爲「及」字，「會」乃後人誤書。宜並存。

九、莊元年《左氏經》：「夏，單伯送王姬。」

送，《公》，《穀》均作「逆」。

按：《說文》：「送，遣也。从辵侯省。」「逆，迎也。从辵，屰聲。」蓋二字形近、傳寫易訛。毛奇齡《春秋簡書刊誤》曰：「此《公》、《穀》之以字形誤者。周制。王姬下嫁諸侯，必以同性諸侯爲之主婚。時莊王王姬下嫁齊襄，使我公主之，故單伯送之至魯，以送必上卿，單伯者，正王國上卿爵也。《公》《穀》誤送作逆，實反《經》無理，乃妄爲說曰：『迎王姬本我魯事，此一單伯必魯卿之受命于天子者』夫大國三卿，雖當命于天子，然並不曾有公伯諸爵稱于簡冊，且單本畿內采地，而世以采爲氏者，《春秋》稱單伯，單子，單穆公，單成愆，無非王官，並無一魯卿得參預其間，其謬誤固不待言。」單伯既爲王卿，知《公》《穀》因送逆形似而誤送爲逆。故以《左氏經》「送」字爲正。

十、莊三年《左氏經》：「冬，公次于滑。」

「滑」，《公》，《穀》均作「郎」。

按：滑爲鄭地（註三），郎爲魯邑（註四），《左傳》：「冬，公次于滑，將會鄭伯，謀紀故也。鄭伯辭以難。」次于滑既爲會鄭伯謀紀，當爲鄭地之「滑」而非魯地之「郎」。唯滑，郎形音俱不近，何以致異？或曰（註五）：「竊疑郎爲鄗之僞、篆文鄗郎二字形似，故後世傳寫誤鄗爲郎。《說文、段註》：鄗、南陽陰鄉，从邑，葛聲。古達切，十五部。葛，絺綌艸也，从草曷聲，古達切，十五部。滑从骨聲、《廣韵・沒韵》古忽切、滑古與鄗同音，鄗从葛聲，亦與葛同音。春秋時，葛地在今河南寧陵縣，滑地在今河南睢縣，二地鄰近。或是《公》《穀》以同音之葛代滑，後又以同音之鄗代葛，遂誤訛爲郎。」說頗成理。以《左氏經》「滑」爲正。

十一、莊四年《左氏經》：「春王二月，夫人姜氏享齊侯于祝丘。」

享，《公》《穀》俱作「饗」。

按：《說文・段註》：「享，獻也，从高省，□象孰物形。許兩切，十部。」「饗，鄉人㱃酒也，从鄉，从食，鄉亦聲。許兩切，十部。」知享，饗音同義近。《荀子・禮論》：「饗尚元酒而用酒醴。」注：「饗與享同」，臧壽恭云：「凡享燕字古文多借用享字，若今文則饗燕之饗作饗，享獻之享作享二字截然不同。二「傳」爲今文，故凡饗燕字皆作饗，「左氏」爲古文，故凡饗燕字皆借用享字。」據此知「享齊侯」古文本用「享」，今文本用「饗」。《左氏經》更近古本矣。

十二、莊五年《左氏經》：「秋，郳犁來來朝。」

犁來，《公》，《穀》，俱作「黎來」。

按：《說文．段註》：「犂耕也。从牛黎聲。郎奚切，十五部，俗省作犁。」「黎，履黏也，从黍，秎省聲。郎奚切，十五部。」知犁，黎二字音同。《史記．高帝紀》：「黎明圍宛城三市。」「《呂后紀》：「黎明孝惠還。」《齊太公世家》：「犁明至國。」《左傳》「伯洲犁」，《潛夫論》作「伯州黎」。知「犁」「黎」古書通用，此處亦難分正誤。宜兩存。

十三、莊六年《左氏經》：「王正月，王人子突救衛。」

正月《公》，《穀》均作「三月」。

按，臧壽恭曰：「《漢書》引劉歆說云：衛公子黔牟立，齊帥諸侯伐之，天子使使救衛，據劉說是伐與救相比，前年冬公會齊人宋人陳人蔡人伐衛，此年正月王人子突救衛，事正相比，當從左氏作正月。」陳新雄《春秋異文考》曰：「正月《公》《穀》作三月誤也。正月之誤作三月，猶已亥之訛作三豕也。」知宜從《左氏經》「正月」。

十四、莊九年《左氏經》：「公及齊大夫盟于蔇。」

蔇，《公》《穀》均作「暨」。

《說文》：「蔇，艸多皃……从艸，既聲。」「暨、日頗見也。从旦、既聲。」「蔇，暨皆从既得聲，故音近易通。《春秋傳說彙纂》曰：「今山東嶧縣北八十里有蔇亭。」知《左氏經》用本字

「蔇」也。

十五、莊二十二年《左氏經》:「陳人殺其公子御寇。」

御,《公》《穀》均作「禦」。

按:《說文》:「御,使馬也。从彳卸。」段《注》:「牛據切,五部。」又「禦,祀也。从示御聲。」段《注》:「後人用此爲禁禦字,疑舉切,五部。古只用御字。」陳新雄曰「禦从御聲,古今字也。左氏爲古文,故用御字,《公》《穀》爲今文,遂改作禦。」知《左氏經》近古本而用「御」。僖九年「御說」《公》,《穀》作「禦說」與此同。

十六、莊三十二年《左氏經》:「冬十月已未,子般卒。」

已,《公》《穀》均作「乙」。

按:據杜氏《春秋長厤》十月無乙未。王引之《經義述聞》曰:「《左氏經》莊三十二年冬十月已未,子般卒。《公羊》《穀梁》並作乙未,乙亦巳之誤也。」此《經》宜从《左氏》作已未爲正。

十七、閔元年《左氏經》:「秋八月,公及齊侯盟于落姑。」

落姑,《公》《穀》均作「洛姑」。

按:《穀梁釋文》:「落姑一本作路姑。」蓋落,洛、路音近易混。《彙纂》曰:「落姑,在今山東平陰縣界。」既該地至今仍以「落姑」名,當从《左氏經》作「落姑」爲宜。

十八、僖元年《左氏經》：「冬十月壬午、公子友帥師敗莒師于酈，獲莒拏。」

酈，《公羊》作「犂」。《穀梁》作「麗」。

按：臧壽恭《春秋左氏古義》：「酈、犂、麗三字通、酈正字，麗犂省借字。」說是。春秋酈地、杜注魯地。今人程旨雲《春秋地名圖考》疑在臨沂縣境。

十九、僖三年《左氏經》：「冬、公子友如齊涖盟。」

涖、《公》、《穀》均作「莅」。

按：《說文通訓定聲》：𨽸、臨也。从立、隶聲。字又作莅，作涖」。蓋𨽸古字，涖、莅均後起字，「三傳」似無正誤之分。

廿、僖四年《左氏經》：「齊人執陳轅濤塗。」轅《公》《穀》作袁。

按：洪亮吉《春秋左傳詁》：「襄二年《傳》，陳成公使轅僑如會求成。注云。轅僑，濤塗四世孫，《史記・齊世家》作袁，《陳世家》作轅。」蓋袁，轅古同字。無正誤之分。

廿一、僖九年《左氏經》：「晉侯佹諸卒。」

佹諸，《公》、《穀》均作「詭諸」。

按：惠士奇曰：「鄭固碑云：『造膝佹辭，是佹與詭通也。』」蓋佹詭音義通，難分正誤也。

廿二、僖二十一年《左氏經》：「秋，宋公楚子陳侯蔡侯鄭伯許男曹伯會于盂。」

盂公羊作霍穀梁作雩

按，《說文》：「盂，飲器也。从皿，亏聲。」段《注》：「羽俱切，五部。」《說文》：「靃，飛聲也从雨雔。」段《注》「呼郭切，五部。俗作霍。」《說文》：「雩，夏祭禮於赤帝，以祈甘雨也。从雨亏聲。」段《注》：「羽俱切，五部。」知盂，雩皆从「亏」得聲，盂，霍，雩三字古韵同在五部，故三字音近易通。《彙纂》曰：「今河南歸得府睢州有盂亭。」盂亭既仍以「盂」名，知《左氏經》「盂」字爲本字，《公》、《穀》用通假字。

廿三、僖二十六年《左氏經》：「齊人侵我西鄙，公追齊師至酅，弗及。」

酅、《公》、《穀》均作「嶲」。

按：《說文》：「酅，東海之邑，从邑，嶲聲。」酅既从嶲聲，知二字音同。《春秋左傳注》曰：「酅音攜，齊地，今山東省東河縣南酅下聚，當即其地，與莊三年紀國之酅自別。」該地至今既仍以「酅」名，當以《左氏經》「酅」字爲正。

廿四、文元年《左氏經》：「冬、十月丁未，楚世子商臣弒其君頵。」

頵，《公》《穀》均「髡」

按：《說文》：「頵……从頁，君聲。」段《注》「於倫切，十三部。」又《說文》：「髡，鬄髮也。从髟、兀聲。」段《注》「苦昆切，十三部。」知「頵」「髡」古韵同部，音近易通。考《左氏》成十年鄭君「髡頑」《穀梁》「頵頑」。因此頵髡二字難以正誤分。

廿五、文二年《左氏經》：「夏六月，公孫敖會宋公陳侯鄭伯晉士穀盟于垂隴。」

「垂隴」，《公》《穀》均作「垂斂」。

按：《春秋左傳注》云：「隴，斂蓋一聲之轉；斂，古音在侵部；隴古音在東部，東，侵古亦可相通，詳顧炎武《唐韻正》。」二字音近雖可通，但《水經．濟水注》云：「又南會於滎澤，有垂隴城。」又《彙纂》曰：「垂隴，今在河南開封府滎澤縣東北。」知「垂隴」爲本字，「垂斂」爲通假字。

廿六、文十六年《左氏經》：「六月，戊辰，公子遂及齊侯盟于郪丘。」「郪丘」《公羊》作「犀丘」。《穀梁》作「師丘」。

按，杜《注》：「郪丘、齊地」。《說文》：「郪、郪新、汝南縣。」朱廷獻云：「《釋地》云：「郪丘、在臨淄南側之天齊洲。」蓋郪、犀、師古音同在十五部。郪正字、犀、師通假字也。」（註六）說是。

廿七、宣八年《左氏經》：「戊子，夫人嬴氏薨」。

嬴，《公》《穀》均作熊。

按：《春秋左傳注》：「蓋古文嬴字形與熊近，前人誤釋爲熊而今文《經》從之也。說詳王國維《觀堂集林》卷十八及楊樹達先生《積微居金文說庚嬴卣跋》。嬴氏即宣公母敬嬴，爲文公次妃，見文十八年《傳注》。」文十年《左氏傳》「敬嬴生宣公」《春秋左傳注》云：「敬嬴，公羊宣八年作頃熊，則楚女矣，恐不足信。」說是。此《左氏經》「嬴氏」爲正。

廿八、宣八年《左氏經》:「冬,十月己丑,葬我小君敬嬴。」

敬嬴,《公》《穀》均作「頃熊」。

按:敬嬴即宣八年「夫人嬴氏薨」之「嬴氏」,宣公母。《左氏經》「敬嬴」爲正。說見前文「夫人嬴氏薨」條。

廿九、宣九年《左氏經》:「陳殺其大夫洩冶。」

洩,《公》《穀》均作「泄」。

按,金澤文庫本亦作「泄」,《說文》無「洩」字。阮元《公羊注疏校勘記》:「陳殺其大夫泄冶。宋本,閩,監,毛本同,唐《石經》避諱作洩。」《穀梁注疏校勘記》亦云。「閩,監,毛本同,《石經》泄作洩。」《左氏·隱元年傳》「其樂也洩洩」《校勘記》云「洩洩當作泄泄,考文提要作泄泄,《石經》避太宗諱改,宋以後本,皆仍唐刻。」知本當作「泄」《左氏經》「洩」乃避唐太宗諱改。

卅、宣十八年《左氏經》:「歸父還自晉,至笙,遂奔齊。」

笙,《公》《穀》均作「檉」。

按:笙,檉古音近通假。《說文通訓定聲》曰:「疑笙即莊公九年《傳》之生竇,《史記》作笙瀆。」江永《考實》謂即莊九年《傳》之生竇,在今山東曹縣東北。陳新雄《春秋異文考》云:「本師程旨雲先生《春秋地名圖考》:生竇,一作笙瀆,亦作句續。《彙纂》在今山東河澤縣北三十里之句陽城。案桓公十二年，盟于穀丘，杜注宋地，《左傳》作盟于句瀆之丘，杜注句續之丘，即穀丘也。《水經注》濮水又東，與句瀆合，逕句陽古城南，《春秋》之穀丘也，左傳以爲句瀆之丘矣。生竇《史記．齊世家》作笙竇、賈陸曰笙瀆。據此則笙者，笙瀆之省稱也，本經當從《左氏》作笙爲正。」說可從。

卅一、成元年《左氏經》：「秋，王師敗績于茅戎。」

茅戎，《公》《穀》均作「貿戎」。

按，《說文段注》茅：「莫交切，古音在三部。」貿：「莫侯切，三部。」知茅、貿二字古韵同在三部，蓋古同音通叚。《水經．河水注》曰：「河北對茅城，故茅亭，茅戎邑也。」據清《一統志》，在今山西平陸縣西南。程旨雲《春秋地名圖考》亦謂：「茅戎，戎之別種，居於中條山之南，今山西平陸縣西二十里，有茅亭，即故茅戎居地，其南爲茅津渡。」今之茅亭，茅津渡既仍「茅」名，知《左氏經》之「茅」爲正字，「貿」乃通叚字也。

卅二、成二年《左氏經》：「六月癸酉，季孫行父、臧孫許、叔孫僑如，公孫嬰齊帥師會晉郤克，衛孫良夫，曹公子首及齊侯戰于鞌。」

「首」、《公》《穀》均作「手」。

按：《說文》「首」古文百也。百，頭也。象形。「《段注》：『書九切，三部。』又『手』，拳也，象形。」《段注》：「書九切，三部。」知首、手同音通假。《左傳》宣二年《傳》：「趙盾，士季見其手。」《釋文》：「手，本作首」。《莊子・達生篇》：「則捧其首而立。」《釋文》：「首本作手。」皆互借之例。朱延獻《春秋左傳異文集證》曰：「此經似作首較勝。」說可從。

卅三、成三年《左氏經》：「晉郤克，衛孫良夫伐廧咎如。」

廧、《公羊》作「將」，《穀梁》作「牆」。

按《說文》：「牆、垣蔽也。」朱駿聲《說文通訓定聲》：「牆字亦作廧。」臧壽恭曰：「將爲牆之假借字。廧即牆之隸變。」說是。牆、廧正字。《公羊》作「將」假借字也。

卅四、成八年《左氏經》：「秋，七月、天子使召伯來賜公命。」

賜、《公》《穀》均作「錫」。

按：《說文》：「賜，予也。」《釋詁》：「賚、貢、錫、畀、予、況、賜也。七字轉注，凡『經』傳」云錫者，賜之假借也。《公羊傳》曰：「錫者何？賜也。賜者，與之通稱。」知該《經》文當以《左氏》「賜」爲本字。《公》《穀》用「賜」通假字也。

卅五、成十七年《左氏經》：「壬申，公孫嬰齊卒于貍脤。」

脤，《公羊》作軫《穀梁》作蜃。

按：《說文》：「軫，車後橫木也，从車，人彡聲。」《段注》：「之忍切，十三部。」蜃，《說文》：「蜃，大蛤，雉備水所匕从虫，辰聲。」《段注》：「時忍切，十三部。」《說文》無脤字。但有與脤同義之祳字。《說文》：「祳、社肉盛之以蜃，故謂之祳。从示，辰聲。」《段注》：「時忍切，古音在十三部。」《五經異義》曰：「古《左氏》說脤祭社之肉，盛之以蜃，鄭注掌蜃，杜駐《左傳》皆同，蜃裖疊韵，經典裖多从肉作脤。」脤蜃皆從辰得聲。此知軫與脤蜃三字古韵同部通假。乃有三「傳」《經》文之異。貍脤，杜注地闕。《春秋左傳注》：「貍脤，不知今何地。」朱廷獻《春秋左傳異文集證》云：「脤，軫，蜃皆一聲之轉，然以貍字推之，似作脤較勝。」

卅六、襄五年《左氏經》：仲孫蔑衛孫林父會吳于善道。」

道：《公》《穀》均作「稻」。

按：《說文》：「道，所行道也。」《段注》：「徒皓切，古音在三部。」稻，《說文》：「稻，稌也。从禾，舀聲。」《段注》：「徒皓切，古音在三部。」則道稻：字同音易通。善道地名。《彙纂》謂在今安徽盱眙縣。」《九經字樣》：「郎邪，郡名，郎，良也。邪，道也。以地居鄒魯、人有善道，故爲郡名。」善道之名既因此而得，則以《左氏經》之「道」字爲正。「稻」者通假字也。

卅七、襄七年《左氏經》：「鄭伯髡頑如會，未見諸侯，丙戌，卒于鄵。」

髡頑，《公》《穀》均作「髡原」。

按：頑原古韻同部。同音通假。《公羊疏》云：「正本作頑字，亦有一本作原字，非也。」《春秋左傳異文集證》云：「且以髡字推之，蓋作頑字是也。」說是。《左氏》「頑」爲正。

又「鄵」《公羊》《穀梁》均作「操」。

按：《說文》無鄵字。《玉篇》：「鄵，鄭地、《左氏傳》曰：鄭伯卒于鄵。」鄵，操均从喿得聲，故同音通叚。呂調陽《群經釋地》云：「鄵即洧水之璅泉，在河南密縣南。」《說文》既無鄵字，故《公羊疏》云作鄵字者非正本也。知《公》《穀》「操」字爲正。

卅八、襄十年《左氏經》：「冬盜殺公子騑公子發公孫輒。」

騑，《公》《穀》均作「斐」。

按：《說文》：「騑，驂也。旁馬也。从馬，非聲。」「斐，分別文也。从文，非聲。」騑斐既皆从非得聲。故音同而通假。《春秋左傳注》曰：「其人字子駟、正字當作騑」說是。鄭公子騑字子駟，名與字義相關也。《左氏經》正。

卅九、襄十一年《左氏經》：「秋七月，己未，同盟于亳城北。」

亳，《公》《穀》均作「京」。

按：亳，京音遠而形近，蓋形似而譌異也。惠棟《九經古義》：「《公羊》襄十有一年《經》：同盟于京城北。《疏》云：《穀梁》與此同，《左氏經》作亳城北，服氏之《經》亦作京城北，乃與此《傳》同。棟案，京，鄭地，在滎陽，隱元年《傳》謂之京城大叔是也?亳城無考，此傳寫之譌，當从《公》《穀》是正。」江永《春秋地理考實》亦謂《公》《穀》作京城爲是。《彙纂》：「京城，今河南滎陽東南二十里有京故縣城。」據此知《公》《穀》作「京」爲正，《左氏經》文形似致譌也。

四十、襄十七年《左氏經》：「春、王二月庚午、邾子牼卒。」

牼、《公》《穀》均作「瞯」。

按：《說文》：「牼，牛厀下骨也。从牛巠聲。《春秋傳》司馬牼字牛。」又「瞯、戴目也。从目、閒聲。江淮之閒謂眄曰瞯。」司馬牼既字牛。牼與牛義近，瞯與牛義無關。又《春秋左傳注》曰：「端方《陶齊吉金錄》卷一有郳公牼鐘四器，足證《左氏經》正確」知《左氏經》「牼」字爲正。《公》《穀》「瞯」字音近假借也。（註七）

四一、襄二十年《左氏經》：「陳侯之弟黃出奔楚。」

黃，《公》《穀》均作「光」。

按：《說文》：「黃，地之色也。从田炗聲。炗古文光。　古文黃。」黃既从古文光而得聲，則同音通假也。《漢書・天文志》：「月九月行：中道者黃道，一曰光道。」《補注》：「先謙曰：黃光古字通。《左》襄二十年《傳》，陳侯之弟黃，《公》《穀》作光，光黃通。」二字既通用，實已難分正誤。

四二、襄廿三年《左氏經》：「八月，叔孫豹帥師救晉，次于雍榆。」

榆，《公》《穀》均作「渝」。

按：《說文》：「榆，榆白，枌。从木俞聲。」又「渝變污也。从水，俞聲。」榆，渝既皆从俞得聲，則二字同音通假。《水經注》：「淇水又東北流，謂之白溝逕雍榆城南。」《一統志》謂雍榆城在今河南濬縣西南十八里。該地至今既仍以「雍榆」爲名，當以《左氏經》文爲正。

四三、襄廿五年《左氏經》：「十有二月吳子遏伐楚，門于巢卒。」

遏，《公》《穀》均作「謁」。

按：遏謁皆从曷聲，同音通假字也。《史記．吳太伯世家》：「壽夢有子四人，長曰諸樊。」《索隱》曰：「《春秋經》書吳子遏，《左傳》稱諸樊，蓋遏是其名，諸樊是其號，《公羊傳》遏作謁。」二字孰正無可考。

四四、昭元年左氏經：「叔孫豹會……許人曹人于虢。」

虢，《公羊》作漷《穀梁》作郭。

按：虢、郭、漷三字古韵均在五部，同音通假字也。

虢，杜注鄭地。則即隱元年《左氏傳》「制，嚴邑也，虢叔死焉」之東虢。《河南通志》云「東虢城在汜水縣東十里。」據此，則作虢字爲正。

四五、昭元年《左氏經》：「晉荀吳帥師敗狄于大鹵。」大鹵，《公》《穀》均「大原」。

按：《公羊》昭元年疏云：「解云案古史文及夷狄之人皆謂之大鹵，而今《經》與師讀皆謂大原。」《左氏經》既曰「大鹵」知《左氏經》近古本也。《春秋左傳注》曰：「大鹵在今太原市西南約二十五里。」

四六、昭元年，《左氏經》：「莒展輿出奔吳。」

展輿，《公》《穀》均無「輿」字。

按：陸氏《釋文》於《左氏經》下云：「莒展出奔吳，一本作莒展輿。」知陸氏所見左氏本與《公》《穀》同。又《春秋名號歸一圖》所據本該處亦無輿字。知《左氏巠》誤多一「輿」字。

四七、昭元年《左氏經》：「冬，十有一月，已酉，楚子麇卒。」

麇，《公》《穀》均作「卷」。

按：錢大昕《潛研堂文集答問》：「卷麇聲相近。」麇卷古音近通假。何字爲本字無可考。

四八、昭四年《左氏經》：「春，王正月，大雨雹。」

《公》《穀》，雹」均作「雪」。

按：雹、雪二字形近易譌也。唯雹雪義異。《公羊疏》云「正本皆雹字。」《穀梁集解》曰：「雪或爲雹。」知「雹」字是也。

四九、昭五年《左氏經》：「秋、七月楚子……執齊慶封殺之，遂滅賴。」

賴，《公》《穀》均作「厲」。

按：賴厲雙聲，古韻同在十五部，音近通假也。《漢書．地理志》上：「南陽郡隨故國，厲鄉故厲國也。」師古曰：「厲讀曰賴。」《水經注．漻水》：「漻水北出大義山南至厲鄉西，賜水入焉，亦云賴鄉，故賴國也。」知該地名賴厲並稱，正誤無可考也。

五十、昭五年《左氏經》：「戊辰，叔弓帥師敗莒師于蚡泉。」

蚡，《公羊》作濆，《穀梁》作賁。

按：臧壽恭《左氏古義》云：「宣十七年苗賁皇，《說苑・善說篇》作蚡黃，是賁與蚡通。」而濆从水賁聲。知蚡、濆、賁音近通假。唯何爲正字，無可考。杜注，《集解》均謂魯地。

五一、昭九年《左氏經》：「夏，四月，陳災。」

災，《公》《穀》均作「火」。

按：趙坦曰，「當从《左氏經》」作災，而義則節取《公》《穀》，庶乎近焉。」陳新雄秋異文考」曰：「災字篆文殘脫其半，故《公》《穀》譌而作火。」說是。

五二、昭十二年《左氏經》「楚殺其大夫成熊。」

熊，《公羊》作然，《穀梁》作虎。

按，《左氏傳》文亦作「成虎」。《正義》曰：「經」書熊，《傳》言虎者，此人名熊字虎，《傳》言其字，《經》書其名，名字相覆，猶伯魚名鯉。」王引之《春秋名字解詁》：「成熊，《公羊》作成然，字之誤也。」此知「成熊」「成虎」均正，「成然」乃「然」「熊」形似而誤。日《左氏》《穀梁》經文皆正也。

五三、召廿年《左氏經》：「秋，盜殺衛侯之兄縶。」

縶，《公》《穀》均作「輒」。

按：臧琳《經義雜記》：「按《說文》馬部、 、絆馬也，从馬口其足，讀若輒，縶 或从糸執聲，則輒當作 蓋兩足不能相過，如馬之縶絆其足，不能馳走，《左氏》作縶者 之或體，《公羊》《穀梁》作輒者，之同聲假借字也。」洪亮吉《春秋左傳詁》：「按《公羊》縶作輒，今考出公名輒，即炅公之孫，與孟縶服尙近，必不同名，當从《左傳》爲是。

五四、昭廿一年《左氏經》：「八月，乙亥，叔輒卒。」

輒，《公羊》作痤，《穀梁》作輙。

按：王引之《春秋名字解詁》：「輒耴古字通，耳垂左右皆外向，其象侈張，輒之反出以向外亦如之。」叔輒字伯張。正合古人名字相協之義，知《左氏經》「輒」字爲正。痤、輙均字之譌也。且《說文》無輙字。

五五、昭廿五年《左氏經》：「夏，叔詣會晉軼……于黃父。」

詣，《公》《穀》均作「倪」。

按：詣，倪雙聲通假。臧壽恭《春秋左氏古義》云：「按《公羊疏》云：《左氏經》賈注作叔詣字。據此是他家《左氏經》亦作叔倪字，與《公》《穀》同作倪，蓋詣之假借字。」說是。二字並存。

五六、昭卅一年《左氏經》：「季孫意如會晉荀躒于適歷。」

躒，《公》《穀》均作「櫟」。

按：櫟，躒皆从樂得聲，知二字乃同音通假字也、《左氏經傳》均作「躒」，如昭十五年《傳》：「晉荀躒如周。」昭卅一年《經》：「晉侯使荀躒唁公于乾侯。」苦無資料考證「躒」「櫟」何字爲正。

五七、定四年《左氏經》：「庚長，吳入郢。」

郢，《公》《穀》均作「楚」。

按：郢，楚都。《彙纂》引汪克寬曰：「廿八年晉侯侵曹。丙午入曹。十五年晉郤缺伐蔡，戊申入蔡，皆書國而不書地；獨此年不書吳入楚，而以楚之國都地名書之，恐因昭卅一年吳其入郢之文而誤也。《左傳》於是後十五年楚滅胡，亦稱吳之入楚也，而不曰入郢，當從《公》《穀》入楚，於義較通。」說可從。

五八、定十年《左氏經》：「夏，公會齊侯于夾谷。」

夾，《公》《穀》均作「頰」。

按：夾、頰皆从夾得聲，故古可通假。考《詩傳》曰：「山夾水曰澗。」《爾雅・釋水》：「水注川曰谿，注谿曰谷。」因此尋「夾谷」命名之義，當以《左氏經》作「夾」為正。夾谷今何地？《春秋左傳注》云：「夾谷有三，此夾谷乃今山東萊蕪縣之夾谷峪，詳顧炎武《日知錄》卷三十一《夾谷》。」說可從。

五九、定十四年《左氏經》：「春，衛公叔戍來奔、衛趙陽出奔宋。」

衛，《公》《穀》均作「晉」。

按：《左氏傳》曰：「衛侯逐公叔戍與其黨，故趙陽奔宋，戍來奔。」杜《注》：「陽，趙黶孫，書名者，親富不親仁。」《正義》曰：「按世本，懿子兼生昭子舉，舉生趙陽，兼即黶也。」據此，趙陽屬衛，世系分明矣。毛奇齡《春秋書簡刊誤》曰：「《公》《穀》極陋，祇知晉有趙氏，他國未必有，遂奮筆改此。」總之，《左氏經》「衛」為正。

上所考計五十九組六十字（第三十七組三字互異）。

貳、列表

上六十字，三《傳》《經》文各有正誤，為眉目清楚，便於研究分析計全部列表於下：

編號	公	年	月	左氏經	公羊經	穀梁經	考證結果與原因	備考
1.	隱	二	九	裂繻	履緰	履緰	左、正（音近）	
2.	隱	二		子帛	子伯	子伯	左、正（音近）	
3.	隱	三	四	君氏	尹氏	尹氏	公穀正（左氏經之所以誤乃左氏經古文書寫字形殘闕所致）	
4.	隱	五		矢魚	觀魚	觀魚	左、正（刊誤）	
5.	隱	六		渝	輸	輸	並存（音近）	
6.	隱	九		挾	俠	俠	並存（音近）	
7.	桓	十五		艾	鄗	蒿	左、正（左穀義近公穀音近）	

8.	桓	十七		會	及	及	並存（義近）	
9.	莊	元		送	逆	逆	左、正（形似而譌）	
10.	莊	三		滑	郎	郎	左、正（訛誤）	
11.	莊	四	二	享	饗	饗	左、正（音近）	
12.	莊	五		犂	黎	黎	並存（音近）	
13.	莊	六	正	正月	三月	三月	左、正（訛誤）	
14.	莊	九		蔇	暨	暨	左、正（音近）	
15.	莊	廿三		御	禦	禦	左、正（音近）	
16.	莊	卅二	十	已未	乙未	乙未	左、正（形似）	
17.	閔	元	八	落姑	洛姑	洛姑	左、正（音近）	
18.	僖	元	十	酈	犂	麗	左、正（音近）	
19.	僖	三		涖	莅	莅	並近（音近）	
20.	僖	四		轅	袁	袁	並存（音近）	
21.	僖	九		佹諸	詭諸	詭諸	並存（音近）	

22.	僖	廿一		孟	霍	雩	左、正（音近）	
23.	僖	廿六			嶲		左、正（音近）	
24.	文	元	十	頵	髡	髡	並存（音近）	
25.	文	二	六	垂隴	垂斂	垂斂	左、正（音近）	
26.	文	十六	六	鄋丘	犀丘	師丘	左、正（音近）	
27.	宣	八		嬴	熊	熊	左、正（音近）	
28.	宣	八	十	敬嬴	敬熊	敬熊	左、正（音近）	
29.	宣	九		洩	泄	泄	公穀正（左氏經避唐太宗諱改）	
30.	宣	十八		笙	樫	樫	左、正（音近）	
31.	成	元		茅戎	貿戎	貿戎	左、正（音近）	
32.	成	二		首	手	手	左、正（音近）	
33.	成	三		廧	將	牆	左穀正（音近）	
34.	成	八	七	賜	錫	錫	左、正（音近）	
35.	成	十七		脤	軫	蜃	左、正（音近）	

36.	襄	五		道	稻	稻	左、正（音近）	
37.	襄	七		頑	原	原	左、正（音近）	
				鄵	操	操	公穀正（說文無鄵字）	
38.	襄	十		騑	斐	斐	左、正（音近）	
39.	襄	十一	七	亳	京	京	公穀正（形似致譌）	
40.	襄	十七	二	牼	瞷	瞷	左、正（音近）	
41.	襄	廿		黃	光	光	並存（古通用）	
42.	襄	廿三		楡	渝	渝	左、正（音近）	
43.	襄	廿五		遏	謁	謁	並存（音近無考）	
44.	昭	元		虢	漷	郭	左、正（音近）	
45.	昭	元		大鹵	大原	大原	並存（古史文謂大鹵今經謂大原）	
46.	昭	元		展輿	展	展	公穀正（左氏經誤多「輿」字）	
47.	昭	元	十一	麇	卷	卷	並存（無考）	
48.	昭	四		雹	雪	雪	左、正（形近）	

49.	昭	四	七	賴	厲	厲	並存（無考）	
50.	昭	五		蚡	濆	賁	並存（無考）	
51.	昭	九	四	災	火	火	左、正（字形殘脫）	
52.	昭	十二		熊	然	虎	左穀正（名熊字虎然熊形似而誤）	
53.	昭	廿		縶	輒	輒	左、正（音近）	
54.	昭	廿一		輒	痤	輙	左、正（字之譌誤）	
55.	昭	廿五		詣	倪	倪	並存（無考）	
56.	昭	卅一		躒	櫟	櫟	並存（無考）	
57.	定	四		郢	楚	楚	公穀正（文誤）	
58.	定	十		夾	頰	頰	左、正（音近）	
59.	定	十四		衛	晉	晉	左、正（刊誤）	

參、分析

上表計列五十九組六十字（第三十七組二字），除十六字因無確切資料可供考證其何者為正字，何者為通假或訛誤之字暫列為並存者外，其餘四十四字其正誤情形如下：

一、《左氏經》獨正者三十六：

其中《公》《穀》因音近而用通假字者三十字。

《公》《穀》刊誤者四（十號，十三號，五十四號，五十九號）。

《公》《穀》字形殘脫致誤者一（五十一號）。

《公》《穀》形似而訛者一（四十八號）。

二、《公》《穀》同正者六：

《左氏經》文字刊誤者四（卅二，卅九，四十六，五十七號）。

《左氏經》避唐太宗諱而改者一（廿九號）。

因《左氏經》爲古文書寫，而字形殘闕致誤者一（三號）。

三、《公》《穀》同正者二：

《公羊》因音近而訛者一（卅三號廧字亦作牆。故《左》《穀》同正）。

《公羊》因形似而誤者一（五十二號「熊」名，「虎」字，故《公》《穀》同正）。

茲就以上有資料可考之四十四異文看：《左氏經》文用正字者卅八（獨正卅六、《公》《穀》同正者二），《穀梁經》文用正字者七，《公羊經》文用正字者六而已。知《左氏經》正者佔絕對多數，此其一。再者，《左氏經》正之卅八異文中，《公》《穀》因音近而用通假字者卅一（包括《左》獨正中之卅暨《左》《穀》同正中之《公羊》因音近而訛者一）、《公》《穀》因刊誤（十、十三、五

十四、五十九號），字形殘脫（五十一號），形似而訛（四十八號暨《公羊》獨誤之五十二號）六、七處而已。《公》《穀》同正之六處異文中，《左氏經》全因刊誤（卅二、卅九、四十六、五十七號），字形殘闕（三號）暨避諱而改（廿九號）而致訛，無一因音近而造成者。這其中顯示出有特別問題在。

首先我們要瞭解的是：刊吳、字形殘脫、形似致訛、避諱而改等等……均爲造成流傳久遠古書訛誤之共同現象。在本篇有資料可考之四十四個三《傳》異文中因此而致誤者《左氏》、《穀梁》各六次，《公羊》七次，其致誤之機率近乎相同。唯獨因音近而造成三《傳》異文之卅一字，全屬《左氏經》用正字，《公》《穀》用通假或音近之訛誤字。這說明《左氏經》文不但近古本，而且未經「口授」。相對而言，《公羊》、《穀梁》顯然有「口授」「口傳」之事實，否則，何以有因音近而造成經文中如此多之通假訛誤字。

肆、結語

經過本文逐條考證三傳經文中，某字僅一次互異，而《左氏經》完全不同於《公》《穀》之六十字，其中除十六字因無資料考其正誤而列爲並存者外，其餘四十四字，因一般古書之訛誤因素（刊誤、字形殘脫、避諱而改等）所造成者各有六或七次，三《傳》《經》文因此而致誤之機率機近相等，然而因音近（或音同）所造成之三十一異文，卻全爲《左氏經》用正字者，據此可得一結論。即《左氏經》不但近古本，而且其「口授」「口傳」之機率幾爲零。再近而與前言中所述拙作《春秋異文探源》中之附證「三傳」《經》文何者更近《春秋》古本「合而觀之可進一步得一結論：《左氏經》文爲古本，且「口授」「口傳」之機率極少。《公》《穀》《經》文不但去古本遠；且可肯定有「口授」「口傳」之事實。

註釋：

註一：錢大昕《十駕齋養新錄》曰：「古無輕唇音，凡輕唇之音，古讀皆如重唇。」

註二：《左氏》隱元年《經》：「三月公及朱儀父盟于蔑。」《疏》曰：「史書魯事以公爲主，言公及，及者，言自此及彼，據魯爲文也。桓十七年公會儀父盟于趡，彼言會，此言及者，彼行會禮，此不行會禮故也。」又桓十六年《經》：「夏四月公會宋公衛侯陳侯蔡侯伐鄭。」《疏》曰：「宣七年《傳》例云：與謀曰及，不與謀曰會。」《公羊》隱元年《傳》：「及者何？與也。會、及、暨皆與也。曷爲或言會，或言及，或言暨？會猶最也，及猶汲汲也，暨猶暨暨也，及我欲之，暨不得已也。」

《穀梁》隱元年《傳》：「及者何？內爲志焉爾。」二年《傳》：「會者，外爲主焉爾。」

註三：《春秋左傳注》：「滑、鄭國地名，當在今河南省睢縣西北。」

註四：魯有兩郎，隱公九年《經》：「夏、城郎。」《春秋左傳注》曰：「元年春，費伯已城郎，而今年又城郎，蓋魯有兩郎。費伯城者爲舊魚台縣治東北八十里之郎，去魯（曲阜）約兩百里爲遠。此年成者、蓋魯（曲阜）近郊之邑。說見江永《春秋地理考實》。」

註五：說見陳新雄《春秋異文考》。

註六：見朱氏《春秋左傳異文集證》。

註七：章太炎《古韵二十三部》㛹古韵屬青部、瞏屬寒部。章氏《國故論衡》上：「青寒亦旁轉，如煢煢亦作嬛嬛，自營亦作自環是也。」

原刊于《黃埔學報》29輯

拾貳　春秋左氏傳成書考辨

壹、《左傳》成書之各家說

《左傳》成書之重要看法大分之爲三說：

一曰魯君子左丘明爲輔翼、闡揚孔子之「春秋」而作。

說明：

左丘明其人最早見之於《論語・公冶長篇》：

巧言令色，足恭，左丘明耻之，丘亦耻之；匿怨而友其人，左丘明耻之，丘亦耻之。（康有為以為是劉歆所加）

其次是見之於《史記・太史公自序》：

昔西伯拘羑里，演《周易》。孔子厄陳蔡，作《春秋》。屈原放逐，著《離騷》。左丘失明，厥有《國語》。孫子臏腳，而論兵法。不違遷蜀，世傳《呂覽》。……此人皆意有所鬱結，不得通其道也。

太史公在此不但說明左丘明曾作《國語》，並在文字排列中隱含左丘明乃屈原之後，孫臏之前，那個時代的人。又《史記・十二諸侯年表序》云：

孔子明王道，干七十餘君，莫能用，故西觀周室，論史記舊聞，興於魯而次《春秋》，上記隱，下至哀之獲麟……七十子之徒口授其傳旨，為有所刺譏褒諱挹損之文辭不可以書見也。魯君子左丘明懼弟子人人異端，各安其意，失其真，故因孔子史記具論其語，成《左氏春秋》。

此處點明左丘明爲輔翼，闡揚孔子之《春秋》而成《左氏春秋》。該《序》又云：

於是譜十二諸侯，自共和訖孔子，表見《春秋》、《國語》。學者所譏盛衰大指著于篇。

據《史記》暨《史記》前的現有資料（先不談這些資料的真僞問題），蓋可得一認知：左丘明是魯君子，約與孔子同時，曾作《國語》、《左氏春秋》，至於《左氏春秋》是不就是《國語》或《春秋・左氏傳》，並沒有明確交待。到了《漢書・司馬遷傳贊》則說：

孔子因魯史記而作《春秋》，而左丘明論輯其本事以為之《傳》，又纂異同為《國語》。

再加上《左傳序》、《正義》引《嚴氏春秋》引《觀周篇》云：

孔子將修《春秋》與左丘明乘如周，觀書於周史，歸而修《春秋》之，丘明為之《傳》，共為表裏。

於是乃有魯君子左丘明作《國語》，並爲輔翼，闡揚孔子之《春秋》而作《春秋左氏傳》的認知。

二曰漢劉歆分之於《國語》。

說明：

該說完全否定前說。實際上自漢以降，否定前說者代不乏人；如晉人王接（註一），唐人啖助（註二）、陸淳等各有疑論。宋王安石斷左氏爲六國時人者十一事（已佚）、林栗直指「《左傳》凡言『君子曰』是劉歆之辭。」羅璧謂「《左傳》《春秋》初各一書。後劉歆治《左傳》始取《傳》文解《經》。晉杜預注《左傳》，復分經之年與傳之年相附。於是《春秋》及《左傳》二書合爲一。」至清代劉逢祿作《左氏春秋考證》謂《左氏》凡例書法，皆出劉歆。他認爲左丘明的書名是《左氏春秋》（註三）；《左氏春秋》的作者左丘明與《論語》中的左丘明是同名的人（註四）。及康有爲作《新學僞經考》，直稱左丘明僅作過《國語》，他說：

> 按《史記・儒林傳》《春秋》只有《公羊》《穀梁》二家，無《左氏》。《河間獻王世家》無得《左氏春秋》立博士事。馬遷作史多採《左氏》。若左丘明誠傳《春秋》史遷安得不知。《儒林傳》述六藝之學彰明較著，可為鐵案。

又說：

> 《漢書・司馬遷傳》稱司馬遷據左氏《國語》；……《史記・大史公自序》及《報任安書》……

凡三言左丘明，俱稱《國語》；然則左丘明所作，史遷所據，《國語》而已，無所謂《春秋傳》也。

康氏更進而認爲今之《春秋左氏傳》乃劉歆分之於《國語》。他說：

> 歆以其非博之學，欲奪孔子之《經》而自立新說以惑天下……求之古書，得《國語》，與《春秋》同時，可以改易竄附，於是毅然削去平王以前事，依《春秋》以編年，比附經文，分《國語》以釋《經》而為《左氏傳》。

他的理由是：

> 《國語》僅一書而《志》以為二種，可異一也。其一、二十一篇，即今傳本也；其一劉向所分之《新國語》五十四篇；同一《國語》，何篇數去數倍？可異二也。劉向之書皆傳於後漢，而五十四篇之《新國語》，後漢人無及之者，可異三也。蓋五十四篇，左丘明之原本也。歆既分其大半凡三十篇以為《春秋傳》，於是留其殘賸，掇拾雜書，加以附益，而為今本之《國語》，故僅得二十一篇也。考今本《國語》，《周語》、《晉語》、《鄭語》多春秋前事。《魯語》則大半敬姜一婦人語。《齊語》則全取《管子、小匡》篇。《吳語》、《越語》筆墨不同，不知掇自何書。然則其為左傳之殘餘而歆補綴為之至明。

《論語》中的左丘明康氏也認爲是劉歆爲配合作僞而加進去的。他說：

> 歆以左丘明親見聖人，好惡與同，以仲尼弟子無左丘明，故竄入《論語》以實之。（以上

均見康有為《新學偽經考》）

崔適等承康之說。更有瑞典學者高本漢先生著《左傳真僞考》，就文法上證明在先秦許多著作中，只有《國語》與《左傳》最近。又有林語堂先生，就古音上證明《國語》與《左傳》是同方音，再加上康有爲原來提出的理由；劉向所分之《新國語》五十四篇，未露面即告失蹤。將此三點聯在一起看，今本《左傳》與失蹤的《新國語》似有所關聯。但反面的論證，亦相繼而起：

一、高本漢的文法研究結語，除了認爲《國語》的文法和《左傳》最相近之外。還有一點相反的論據。他說：解作「像」時，《左傳》用「如」而《國語》用「若」和「如」……所以兩書不能是一個人作的。（見《左傳真僞考及其他》第九〇頁）

二、馮元君的《論左傳與國語的異點》也是從文法上研究，結果是《左傳》與《國語》在文法上的歧異共五種：

㈠和㈡關於「於」「于」的；

㈢關於「與」「及」的；

㈣關於「邪（耶）」的；

㈤關於「奈」的；

他的總結是：「《左傳》與《國語》是兩部不相干的書」。

三、衛聚賢的《國語的研究》認爲《魯語》、《晉語》等係採取《左傳》而作的，可說直接否定《左傳》分之於《國語》。衛先生在《讀「論左傳與國語的論點」以後》的最後數行說：

> 此外《左傳》與《國語》原非一書，我還有一個相當的意見，就是《左傳》於晉推崇叔向……。《左傳》推崇的多是些「博物」家、《國語》推崇的多是「知禮」的人，二者思想不同。但《國語》推崇的《左史》猗相，《左傳》討厭他；《左傳》推崇的萇弘，《國語》也討厭他；《左傳》推崇的叔向，《國語》不注意他。《國語》推崇的公父文伯之母，《左傳》不注意他。二者思想是相背的。

以上各點也都是就《國語》、《左傳》內容，所作的分析研究。及近人張以仁先生《論國語與左傳的關係》，《從文法語彙的差異證國語左傳二書非一人所作》二文出，康氏《左傳》分之於《國語》說誤，漸爲學界所肯定。

三曰漢劉歆僞作。

說明：

該說在某些認知上仍承繼前說（第二說），如左丘明僅作過《國語》、《春秋左氏傳》的成書與漢劉歆脫不了關係等等。該說與前說之最大不同處在於：前說認爲漢劉歆割裂《國語》以冒充《春秋左氏傳》。是「作僞」（註五）。也可以說是「作假」也就是拿別的書，或割列別的書，來冒充春秋傳。書的本身仍可視爲古書（註六）。而該說是認爲劉歆作《春秋左氏傳》，以冒古人左丘明之名，是「僞作」。既是「作」，採古史資料，必然是融會貫通，書的本身，則視爲漢代人書。持此說者，乃近人徐仁甫先生。他在他的《左傳疏證序》中說：

《春秋左氏傳》，漢劉歆所作，而托之左丘明者也。

他的主要理由是《左傳》採引《史記》、《新序》、《說苑》……等書。因此《左傳》是後人所作的書。他在《左丘明是左傳還是國語的作者》（註七）一文中說：

《左傳》作者，採《國語》、《諸子》、《史記》、《新序》、《說苑》、《列女傳》等書中所記的《春秋》時事，作成《左傳》，而托名是左丘明作的。其成書的年代在西漢成哀之間。

他的《左傳疏證》就是將《史記》等書與《左傳》記事相近者，分章比較分析，結論是《左傳》採引了《史記》等書。再加上前人對劉歆與《左傳》關係密切的肯定，於是徐氏深信劉歆作《春秋左氏傳》托之左丘明者也。

徐仁甫的《左傳疏證》一九八〇年出版後，蔣立甫（註八）、鄭君華（註九）等提出質疑。筆者亦認爲該書「校讎群書……篇分而章析之」（徐《序》語）確實頗見工夫，但以此判定《左傳》採引《史記》諸《子》等書，更進而肯定全書實質內容出《史記》諸《子》之後而爲劉歆僞作，待商榷。理由有四：

第一、徐氏之論證並不是《史記》等書先於《左傳》之必然證據：

首先看徐氏論文有一段「從解《經》和記事對比，證明《史記》在前，《左傳》在後」（註十）。他在該文中的解《經》對比列證說：

司馬遷的《史記》，在引孔丘《春秋經》時，他自己也常常有解釋的話。如像《晉世家》：「孔子讀史記（此指《晉春秋》）至文公曰：『諸侯無召王。』『王狩河陽』者，《春秋》諱之也。」又《孔子世家》作《踐土之會，實召天子，而《春秋》諱之曰：『天王狩于河陽。』用這兩篇對照，可見太史公引孔子的話，只是「諸侯無召王」一句。「王狩河陽」即「天王狩于河陽」，這是《春秋》原文。兩處所說的「《春秋》諱之」，都是太史公用來解釋的話。《左傳》僖公二十八年：「是會也，晉侯召王，以諸侯見，且使王狩。仲尼曰：『以臣召君，不可以訓。』故書曰：『天王狩于河陽』，言非其地也，且明德也。」

按「以臣召君，不可以訓」，意即「諸侯無召王」「故書曰」以下，是《左傳》作者的解釋語《史記》和《左傳》解《經》之語不同，這是什麼緣故？舊日學者，都以為相同，所以才有《史公錄左氏義》，《史記引左傳解經說考》等著述的出現。但不知這是《左傳》作者，採《史記》而又改《史記》，以避免因襲。而決不是《史記》用《左傳》又改《左傳》。因為《左傳》托為左丘明作，所以要故意使它和《史記》有所不同。而《史記》呢，那就沒有立異的必要。

以上對於《史記》「《春秋》諱之」與《左傳》「言非其地也。且明德也」兩處詞雖異而含義實同之解《經》語，費了這麼多筆墨分析，結論只是「因爲《左傳》托爲左丘明作，所以要故意與《史記》有所不同。」這顯然是預設《左傳》在後而得的結語。爲何《史記》採古史文詞就必然無異呢?如果羅輯推理必然如此,那劉歆何不照抄《史記》,不是更可冒充左丘明作,而使後人深信《左傳》採之《史記》乎?總之,此不足以作《史記》、《左傳》孰先孰後之必然證據。持此,亦不足以駁《太史公所錄左氏義》等書。關於兩書記事對比的例證,他該文中又說:

> 查《史記衛康叔世家》:「初宣公愛夫人夷姜。」《左傳》桓公十六年作:「衛宣公烝于夷姜。」史記是「愛」《左傳》改為「烝」。「烝」是上淫,夷姜為宣公庶母。《左傳》載宣公淫亂,是有根據的。《毛詩邶風・匏有苦葉》:「雉鳴求其牡。」《毛萇傳》曰:「衛夫人有淫泆之志,授人以色,假人以辭,不顧禮義之難(不可),至使宣公有淫昏之行。」這就是《左傳》作者改《史記》「愛」為「烝」的根據。

按宣公與夷姜之淫行是事實。只是《左傳》與《史記》所記「烝」與「愛」之不同而已。除非能舉證說明上淫之意念和行爲,只有在漢以後方稱「烝」,漢以前雖有其行爲而不以「烝」名,方足以證明《左傳》在《史記》之後。不然,焉知《毛傳》不是受《左傳》(那時書名也許不稱《左傳》)記事之影響。

其次就《左傳疏證》內容看,該書《徐序》云:

> 余雖……于是校讎群書,尋《左傳》之根源,剖析異同標《左傳》之特殊……然後知劉歆筆觸,其出無方,詳事略,略事詳,正言反,反言正,或續尾,或裝頭;或補闕,或正誤;既刪繁以就簡,復踵事而增華。要之採群書而欲避免因襲,遂變化百出,殆無所不用其極

> 焉。夫劉歆既為請立《左氏》于學官之人，則《左傳》之成書，非歆而誰？

我們試問，既「詳事略」「略事詳」，則詳者先？略者先？其準則性何在？既「正言反」「反言正」，則正者先？反者先？有何定規？「續尾」、「裝頭」、「補闕」、「踵事以增華」均「略事詳」也。「刪繁以就簡」，亦「詳事略」也。取此「詳」「略」以定何書之先後，必自相茅盾、惟「正誤」一事，頗有誤在先而正之於後之函義在，但細推之，亦非盡然，先者正而引文失誤者，亦非不可能。當然，《左傳》某些文字確與劉歆有關，但非全部。總之以此「詳」「略」等，考其文字之優劣可，考書之先後則不可，因爲此類資料非孰先，孰後之必然性實證。因此之故，他的理論仍是依靠「劉歆既爲請立《左氏》于學官之人，則《左傳》之成書，非歆而誰？」而建立。也就是說《左傳疏證》是在先認定《左傳》全書爲劉歆僞作之前題下完成。該書疏證方式均如以上所舉之二例相苦。持《史記》等書與《左傳》相當者對比分析之，全書數十萬字，本文篇幅所限，不一一舉證。

第二、前賢也曾對《左傳》與《史記》等書作過對比研究結果是《史記》等書採《左傳》。如清吳至父之《太史公所錄左氏義》劉申叔之《史記述左傳解說考》。對這些論說，徐仁甫均駁之曰：

> 這些著述，實際上都不能成立，值不得一駁。因為太史公根本就沒有見過《左傳》……（註十一）

我們先不必在意這些駁斥的話。我們來看看楊伯峻引論劉師培《群經大義相通論》中《荀子》徵引《左傳》的舉證。楊氏說：

劉師培《群經大義相通論》中有《左傳荀子相通論》……但《荀子》徵引《左傳》，實無可疑。現在僅舉二條為例。《荀子大略篇》：

送死不及柩尸、弔生不及悲哀，非禮也。

這和隱元年《傳》「贈死不及尸、弔生不及哀，豫兇事，非禮也。」基本相同。而且荀卿還怕後人誤會尸體為未經入棺之尸，又加以「柩」字表明它，足見這是荀卿引《左傳，不是《左傳》引《荀子》。又《致仕篇》說：

賞不欲僭、刑不欲濫。賞僭則利及小人，刑濫則害及君子，若不幸而過，寧僭無濫。與其害善，不若利淫。

襄公二十六年《傳》也有此文：

善為國者、賞不僭而刑不濫。賞僭則懼及淫人，刑濫則懼及善人。若不幸而過，寧僭無濫。與其失善，寧其利淫。

兩者只有幾個字的差別，所以盧文弨說《荀子致仕篇》「此數語全本《左傳》」。(見楊伯峻《春秋左傳注前言》)

從以上楊伯峻對劉師培《荀子》徵引《左傳》之引論中，我們看不出與前條徐仁甫的解《經》對比論證，及《左傳疏證》中《左傳》與《史記》等書的比對分析，有何形式與實質上的不同，惟一不同的是結論，《左傳》是先於《荀子》的書，而不是漢人的作品。楊氏接著又說：

其後《戰國策》（如《魏策三》用僖公二年和五年《左傳》，稱《左傳》為《春秋》）、《呂氏春秋》《韓非子》無不徵引《左傳》文字，《呂氏春秋》、《韓非子》二書徵引尤多。劉師培有詳細考證。見《讀左劄記》。至于西漢、從漢高祖《賜韓王信書》，用《左傳》哀十六年語，以至《淮南子》、賈誼《新書》、文帝作詔書（見《史記文帝紀》二年）、武帝制令（見《史記・三王世家》並《索引》）、司馬遷作《史記》、徵引《左傳》更多（見楊伯峻《春秋左傳注前言》）

楊氏認為諸書徵引《左傳》顯然在《左傳》與諸書之文字比對上，有他的理由與見解。

總之，以上兩條，大體都是從文字對比上分析，而第一條的結論是《左傳》採引《史記》等諸書；第二條的結論卻是《史記》等諸書採引《左傳》。可知，就文字之比對分析，只能作誰採誰，誰引誰之參考資料，不是「先」與「後」之必然論據資料。

第三、韓非、《戰國策》，引《左傳》有積極證據：

韓非引史有時自己明確的書明引自《春秋》者，如《韓非子・奸劫弒臣》說：

故《春秋》記之曰：「楚王子圍將聘於鄭，未出境、聞王病而反，因入問病，以其冠纓絞王而殺之，遂自立也。」（王先慎《集解》曰「事見《左》昭元年傳」。）

考孔子《春秋經》召元年僅有：「冬十有一月己酉楚子麇卒。」而《左傳》該年記此始末甚詳：

冬，楚公子圍將聘於鄭，伍舉為介。未出境，聞王有疾而還。伍舉遂聘。十一月己酉、公子圍至，入問王疾，縊而殺之……楚靈王即位。

知韓非所謂之「春秋」非孔子之《春秋經》，乃今本之《左傳》，反證之，今本之《左傳》乃古之「左氏春秋」，所以韓非方稱它爲「春秋」。

又《左傳》該條史事更爲《戰國策》:《楚策》(《客說春申君》)所引用，亦稱《左傳》爲《春秋》:

《春秋》戒之曰：「楚王子圍聘于鄭，未出境。聞王疾反問疾，遂以冠纓絞王殺之，因自立也。」

總之，在《韓非子》、《戰國策》之前，《左傳》實際確已存在，不過那時書名不是《春秋左氏傳》，而是可以稱之爲「春秋」的史書。

第四、《左傳》非任何人所僞作。

筆者認爲《左傳》非任何人所能僞作。積極證據有二：

一、是高本漢用語言學的方法，研究《左傳》所得的結論。高氏在他《左傳真僞考》的結語中說：

《左傳》有一律的文法，和《國語》很近，但不全同。這種文法絕不是一個後來的僞造者所能想像或實行的……。

高氏的結語很明白，沒有一個作僞者可以想像到，可以前後一致的用《左傳》上這種特殊的文法

結構。（詳細內容請參閱高本漢《左傳真僞考》下篇陸侃如譯本）

二、是筆者從《春秋》《左傳》記時差異所得之領悟與結論。筆者曾有「從春秋左傳記時差異看二者之關係」拙文發表於《中華文化復興月刊》第十七卷第八期（一九八四年八月）。文中筆者擇出《左傳》與《春秋》顯著記時差異達三十七處（註十二）之多，《左傳》與《春秋》間在書時上均有數日或數月之明顯差異。其中《左傳》確有釋《經》記時何以與《左傳》相異者，惟隱三年，襄二十八年兩條而已，且又有非《左傳》原文之可能（註十三），其餘三十五例無一語以釋《經》《傳》書時差異之所以然，此亦不可能全爲《春秋》《左傳》成書之後，由傳抄等訛誤所造成。基於以上事實，我們可得一結語，《左傳》非爲解《經》而發。如《左傳》作者當初一手持《春秋》，一手爲《春秋》作《傳》（《左傳》），對此三十餘處《春秋》《左傳》書時概差數日，數月不等之事實，必然一一作明確之交待也。

現在再回到劉歆僞作《春秋左氏傳》的問題上看看，如果《左傳》確爲劉氏僞作，則僞作《左傳》之目的就是專爲釋《春秋》，那麼劉氏對如此衆多之《經傳》書時差異，必然不出以下兩種作法：一是消化他所採用之古史資料，消滅此類書時差異於無形。二是保持原史料與《經》文差異之記時，而於《左傳》中加以釋解。總之，他既然僞造《左傳》以釋《春秋》，面對如此衆多之書時差異，必然加以處理。就算「削足適履」他也該削一削，讓《經》《傳》看起來相合，絕不可能讓這些現象就這樣擺著。

總結以上四點論證，《春秋左氏傳》不應爲漢劉歆僞作，而托之左丘明也。

貳、我對《春秋左氏傳》成書的看法

今本的《春秋左氏傳》是漢劉歆引以《左氏春秋》爲主的古史以解經。書名乃由《左氏春秋》而轉爲《春秋左氏傳》。至晉杜預合經傳爲一書。其中竄入後人曁劉歆的附加語乃是必然的事。我的這種看法，一是根源於個人對《左傳》內容之研究，二是得益於前人的研究成果。

一

我於十多年前，曾就《春秋》、《左傳》記時差異問題，發表過兩篇論文，一篇是在本文前面提到的《從春秋左傳記時差異看二者之關係》，前已言之。結論是《左傳》非爲釋《春秋》而作。既然不是爲釋《春秋》而作，它的原名應該不是「春秋（左氏）傳」。另一篇是「《春秋》、《左傳》記時差異探原」，（發表顧於黃埔學報，第十六、十七兩輯）。結論是《春秋》、《左傳》記時差異之所以如此之多，大體是因歷正不同所造成。也就是說，《春秋》用建子之周正，而《左傳》原則上用周正，但卻採用了行建寅（夏正）建丑（商正），建亥（註十四）之各國史而未加融會統一。基於以上兩文的結語與推論，我們可以得到的概念是：這本書原名不該稱《春秋（左氏）傳》，是某人割引了某本暨其他的古史，放進他想完成的《春秋傳》裏。當然少不了加上一些他自己的話。

二

是誰割引古史以成《春秋左氏傳》？張西堂的引論，正是我們所要引要說的。他說：

……在《漢書劉歆傳》裏才說：初，《左氏傳》多古文古言，學者傳訓故而已。及歆治《左氏》引《傳》文以解《經》轉相發明，由是章句義理備焉。這裡說明劉歆引《傳》文以解《經》：「《傳》自解《經》，何待歆引；歆引以解，則非《傳》文。」可見解《經》的《左氏春秋》從劉歆才有的，在《漢書》上說的再明白不過了。當時諸儒謂「左氏不傳《春秋》」及「儒者師丹奏歆改亂舊章，非毀先帝所立，」公孫祿曰：「國師嘉新公顛倒五經，毀師法，令學士疑惑，宜誅以慰天下。」箇中消息，很可見出《左氏》是劉歆雜采諸書，一手編成，所以弄得群情憤激，大家對於他要痛下攻擊了。（見《古史辨》第五冊張西堂《左氏春秋考證序》二七二頁）

文中「歆引以解」「歆改亂舊章」「《左氏》是劉歆雜采諸書一手編成」再再肯定漢劉歆割引古史「編成《春秋左氏傳》」。

再一個問題是劉歆割引了那些古史？要理清這個問題是一個艱鉅的工程，目前據前人的研究成果看，被割裂的古史應該與下面的史書有關：

一、主要的是《左氏春秋》：即《史記・十二諸侯年表序》中所說的《春秋》。

說明：《史記十二諸侯年表序》說：「鐸椒爲楚威王傅為王不能盡觀《春秋》，采取成敗卒四十章，爲《鐸氏微》。趙孝成王時，其相虞卿上采《春秋》、下觀近世，亦著爲篇，爲《虞氏春秋》。」司馬遷此文所稱之「春秋」。金德建《司馬遷所見書考》、《司馬遷所稱春秋系指左傳考》謂實爲《左傳》。亦即《韓非子》暨《戰國策》中所引據的史書「春秋」。（說明見本文壹）以上三書所引據之「春秋」近代學者多認爲是「左氏春秋」。故《左氏春秋》實乃今本《左傳》之主體。《左氏傳》之「左氏」亦本之於此。

二、《國語》（《新國語》）：

說明：據康有爲、高本漢、林語堂之研究（見上文）。《左傳》與《國語》有密切關聯。至於有多少，或那些是引據「國語」尚有待學者考證。

三、其他史篇：

說明：如楊伯峻《春秋左傳注前言》中說：「《左傳》採取很多原始資料，如成公十三年《傳》載《晉侯使呂相絕秦書》，這是一篇強詞奪理的文字，可是藝術性很高，秦國，後來竟模仿這篇受辱的文章，寫了一篇《詛楚文》（見嚴可均所輯《全上古文》卷十四）。由《詛楚文》足以知道《呂相絕秦》一定是原始記錄，或者原始文件。》不過楊氏所謂「《左傳》采取很多原始資料」以及《晉侯使呂相絕秦書》是劉歆直接引入《左傳》，還是由被歆割裂的史書作者所引入，尚待研究。又衛聚賢認爲，成十三年的《傳》文，全是《左傳》的作者抄史稿的原文。衛聚賢《跋左傳真僞考》云：「……高氏於他原書 page 45 說成十三年和文十七年的兩段《傳》文，文法不類，疑爲後人所竄入。高氏只說對了一半，因爲成十三年的《傳》是《左傳》的作者抄史稿的原文；文十七年的《傳》是劉歆僞造的。是以文法都不類……。」衛氏於下文有兩段考證，以證明他的這段話是正確的。請參閱原文。

總之，劉歆究竟割引了那本或那些史書而成《春秋左氏傳》？在這本《春秋左氏傳》中有那些話是劉歆的？要釐清這些問題不但是艱鉅，而且是遙遠的工程。

參、結　語

今日的《春秋左氏傳》，不是漢劉歆僞作的漢代書；也不是漢劉歆分之於《國語》。而是漢劉歆割引以《左有春秋》爲主的先秦史書以釋《春秋》，並加了些自己的話，轉稱《春秋左氏傳》而已。原文未加更動（由曆正不同而造成與春秋記時有異者亦未更動可爲證明）。書的本身仍是先秦文件。《史記》等書所引用的，是被劉歆割引前的先秦原文件（那時書名當然不稱《左傳》。）至晉杜預始將《春秋》、《左傳》合爲一書。至於「左氏」者誰？當另文研討。最後我們用顧頡剛的話作本文的結束。

惟如何從《左傳》中析出其與《春秋》併家的時代所增入的部分，使得它可以回復爲「原來」古史，則有待於我們的努力（註十五）。

註釋：

註一：王接曰：「《左氏》辭義贍富，自是一家書，不主為《經》發。」（古史辨五冊頁五四〇引）

註二：啖助曰：「《左氏傳》自周、晉、齊、宋、楚、鄭等國之事最詳。晉則每出一師，具列將佐；宋則每因興廢，備舉六卿。故知史冊之文，每國各異。左氏得此數國之史以授門人，義則口傳，未形之帛。後代學者乃演而通之，總而合之，編次年月以為傳記。」（古史辨五冊頁五四一引）

註三：《左氏春秋考證》卷上：「《左氏春秋》猶《晏子春秋》、《呂氏春秋》也。直稱『春秋』太史公所據舊名也。冒曰『《春秋左氏傳》』則東漢以後之以訛傳訛者矣。」

註四：《左氏春秋考證》卷下：「為《左氏春秋》者則當時夫子傳說已異，且魯悼已稱諡，必非《論語》之左丘；其好惡亦大異聖人，知為失明之丘明。猶光武諱秀，歆亦可名秀……」。

註　五：「作偽」康有為語。康氏於《新學偽經考》中說：……歆以《國語》原本五十四篇，天下人或有知之者，故復分一書以當之，又託之劉向所分，非原本，以滅其跡。其作偽之情可見……

註　六：高本漢《左傳真偽考》云：「……假如康氏願意這樣主張……這樣把左氏之書割碎而並不竄亂，也不至於降低《左傳》認為周代第一流的文件的價值。因為假如劉氏只把一種整篇的記載割成片段（不過把一段的頭上幾句稍微改動了）；那也沒有什麼關係，這部書還是可靠的。是周代生活的豐富而有趣的記載。」（《左傳真偽考及其他》四五頁）

註　七：見一九七九年《哲學研究》第三期。

註　八：一九八二年《文學遺產》增刊第十四輯。

註　九：見一九八四年《文學遺產》一期。

註　十：見一九七九年《哲學研究》第三期左丘明是《左傳》還是《國語》的作者。

註十一：見一九七九年《哲學研究》第三期九三頁。

註十二：《春秋左傳》顯著記時差異三十七處，列表如下：

編號	公	年	春秋（經文）	左傳
1	隱	三	春王三月庚戌天王崩。	三月壬戌平王崩。
2		六	冬宋人取長葛。	秋……。
3	桓	七	夏穀伯綏來朝。	春……。
4	莊	八	十有一月，癸未齊無知弒其君諸兒。	冬十二月……。
5	僖	五	春晉侯殺其世子申生。	四年十二月戊申……。
6		八	冬十有二月丁未天王崩。	七年冬閏月……。
7		十	春王正月…晉里克弒其君卓及其大夫荀息。	九年十一月……。
8		十一	春晉殺其大夫平正父。	十年冬……。
9		十五	十有一月壬戌晉侯及秦伯戰于韓，獲晉侯。	九月壬戌……。
10		十七	冬十有二月乙亥齊侯小白卒。	冬十月乙亥。
11		廿四	冬晉侯夷吾卒。	廿三年九月……。
12	文	二	三月乙巳及晉處父盟。	夏四月……。
13		三	夏五月王子處卒。	夏四月乙亥……。
14		九	二月晉人殺其大夫先都。	正月乙丑……。
15		十四	九月齊公子商人弒其君舍。	七月乙卯……。
16	成	二	八月庚寅衛侯速卒。	九月……。

17		六	二月衛孫良父帥師侵宋。	三月……。
18		十	五月……丙午晉侯獳卒。	六月丙午……。
19		十六	六月晉侯使欒黶來乞師。	四月……。
20		十八	春王正月晉殺其大夫胥童。	十七年閏十二月乙卯……。
21	襄	二	六月，庚辰鄭伯睔卒。	七月庚辰……。
22		三	六月…戊寅叔孫豹及諸侯之大夫及陳袁僑盟。	秋……。
23		六	十有二月齊侯滅萊。	十一月……。
24		九	十有二月己亥同盟于戲。	十一月己亥……。
25		十	春公會晉…會吳于柤。	春會于柤・會吳子壽夢也。…夏四月戊午會于柤。
26		十九	秋七月辛卯齊侯環卒。	夏五月壬辰晦……。
27		廿五	秋八月己巳諸侯同盟于重丘。	秋七月……。
28		廿七	冬十有二月乙亥朔日有食之。	十一月乙亥……。
29		廿八	十月二日甲寅天王崩。	十一月……癸巳…。
30	昭	八	冬十月壬午楚師滅陳。	冬十一月壬午……。
31		十二	五月葬鄭簡公。	六月……。
32		十三	夏四月楚公子比自晉歸于楚，弒其君虔于乾谿。	夏五月……。

33		廿二	六月…劉子單子以王猛居于皇。	秋七月戊寅……。
34		廿二	秋劉子單子以王猛入于王城。	冬十月丁巳……。
35		廿二	冬十月王子猛卒。	十一月乙酉……。
36	定	元	三月晉入執宋仲幾于京師。	正月…庚寅栽……乃執仲幾以歸。三月歸諸京師。
37	哀	十六	春王正月己卯衛世子蒯聵自戚入于衛，衛侯輒來奔。	十五年閏十二月…。

註十三：詳細論證請參閱《中華文化復興月刊》第十七卷第八期（一九八四年八月）拙作「從春秋左傳記時差異看二者之關係」。

註十四：建亥為秦正，但秦一六國前，其先人實已行之，請參閱《黃埔學報》第十七輯（六七－七五頁）拙作《春秋左傳記時差異探源》之附證三；《春秋時代秦曾否行建亥之正之商榷》。

註十五：「原來」《古史辨》第五冊五五四頁。顧氏本文為「一部」。因筆者認為劉歆所割裂之古史並非全自某一部。故代之以「原來」。

原刊于《黃埔學報》33輯

拾叁　附篇：春秋時代秦曾否行建亥之正之商榷

前　言

本書蓋專爲探討春秋問題而發，何以將秦曆問題提到此處討論耶？想讀者必然有此疑問。故略作說明如下：

案，春秋左傳二者在記時方面輒有顯著之差異。如隱六年，春秋：「冬，宋人取長葛」，左傳作「秋，宋人取長葛」；成二年，春秋：「八月庚寅衞侯速卒」，左傳作「九月，衞穆公卒」等等。筆者將此類記時明顯差異處，逐條摘出，計得三十七例。編號表例於下：

編號	公	記年	春秋	左傳
1	隱	三	春王三月庚戌天王崩。	三月壬戌平王崩。
2		六	冬宋人取長葛。	秋……。
3	桓	七	夏穀伯綏來朝。	春……。
4	莊	八	十有一月癸未齊無知弒其君諸兒。	冬十二月……。
5	僖	五	春晉侯殺其世子申生。	四年十二月戊申……。
6		八	冬十有二月丁未天王崩。	七年冬閏月……。
7		十	春王正月……晉里克弒其君卓及其大夫荀息。	九年十一月……。
8		十一	春晉殺其大夫平正父。	十年冬……。
9		十五	十有一月壬戌晉侯及秦伯戰于韓，獲晉侯。	九月壬戌……。
10		十七	冬十有二月乙亥齊侯小白卒。	冬十月乙亥……。
11		廿四	冬晉侯夷吾卒。	廿三年九月……。

12	文	二	三月乙巳及晉處父盟。	夏四月……。
13		三	夏五月王子虎卒。	夏四月乙亥……。
14		九	二月晉人殺其大夫先都。	正月乙丑……。
15		十四	九月齊公子商人弒其君舍。	七月乙卯……。
16	成	二	八月庚寅衞侯速卒。	九月……。
17		六	二月衞孫良父帥師侵宋。	三月……。
18		十	五月……丙午晉侯獳卒。	六月丙午……。
19		十六	六月晉侯使欒黶來乞師。	四月……。
20		十八	春王正月晉殺其大夫胥童。	十七年閏十二月乙卯……。
21	襄	二	六月，庚辰鄭伯睔卒。	七月庚辰……。
22		三	六月……戊寅叔孫豹及諸侯之大夫及陳袁僑盟。	秋……。
23		六	十有二月齊侯滅萊。	十一月……。
24		九	十有二月己亥同盟于戲。	十一月己亥……。
25		十	春公會晉……會吳于柤。	春會于柤，會吳子壽夢

				也。……夏四月戊午會于柤。
26		十九	秋七月辛卯齊侯環卒。	夏五月壬辰晦……。
27		廿五	秋八月己巳諸侯同盟于重丘。	秋七月……。
28		廿七	冬十有二月乙亥朔日有食之。	十一月乙亥……。
29		廿八	十有二月甲寅天王崩。	十一月……癸巳……。
30	昭	八	冬十月壬午楚師滅陳。	冬十一月壬午……。
31		十二	五月葬鄭簡公。	六月……。
32		十三	夏四月楚公子比自晉歸于楚，弒其君虔于乾谿。	夏五月……。
33		廿二	六月……劉子單子以王猛居于皇。	秋七月戊寅……。
34		廿二	秋劉子單子以王猛入于王城。	冬十月丁巳……。
35		廿二	冬十月王子猛卒。	十一月乙酉……。
36	定	元	三月晉人執宋仲幾于京師。	正月……庚寅裁……乃執仲幾以歸。三月歸諸

編號	公	年	春秋	左傳	杜注摘要
37	哀	十六	春王正月己卯衞世子蒯聵自戚入于衞，衞侯輒來奔。	京師。 十五年閏十二月……。	

以上三十七例，筆者細加排比，發現左傳記時有在春秋之前者，有在春秋之後者，杜預對「在春秋之前」與「在春秋之後」之說解截然不同，且此兩組似有某種規律在。茲將上表三十七例以春秋爲準，分之爲二，並將杜注摘要附之，表列於下：

甲、左傳記時在春秋之前者：

編號	公	年	春秋	左傳	杜注摘要
2	隱	六	冬宋人取長葛。	秋……。	秋取冬乃告。
3	桓	七	夏穀伯綏來朝。	春……。	春來夏行朝禮。
5	僖	五	春晉侯殺其世子申生。	四年十二月戊申……。	書春從告。
6		八	冬十有二月丁未天王崩。	七年冬閏月……。	前年閏月崩今

					年十二月丁未告。
7		十	春王正月……晉里克弒其君卓及其大夫荀息。	九年十一月……。	經從告。
8		十一	春晉殺其大夫平正父。	十年冬……。	書春從告。
9		十五	十有一月壬戌晉侯及秦伯戰于韓，獲晉侯。	九月壬戌……。	經從赴。
10		十七	冬十有二月乙亥齊侯小白卒。	冬十月乙亥……。	乙亥十月八日。
11		廿四	冬晉侯夷吾卒。	廿三年九月……。	經從赴。
13	文	三	夏五月王子虎卒。	夏四月乙亥……。	經從赴。
14		九	二月晉人殺其大夫先都。	正月乙丑……。	經從告。
15		十四	九月齊公子商人弒其君舍。	七月乙卯……。	經從告。
19	成	十六	六月晉侯使欒黶來乞師。	四月……。	無說。
20		十八	春王正月晉殺其大夫胥童。	十七年閏十二月乙卯……。	經從告。

乙、左傳書時在春秋之後者：

編號	公	年	春秋	左傳	杜注摘要
23	襄	六	十有二月齊侯滅萊。	十一月……。	經從告。
24		九	十有二月己亥同盟于戲。	十一月己亥……。	經誤。
26		十九	秋七月辛卯齊侯環卒。	夏五月壬辰晦……。	經從告。
27		廿五	秋八月己巳諸侯同盟于重丘。	秋七月……。	經誤。
28		廿七	冬十有二月乙亥朔日有食之。	十一月乙亥……。	經誤。
29		廿八	十有二月甲寅天王崩。	十一月……癸巳……。	經從告。
36	定	元	三月晉人執宋仲幾于京師。	正月……庚寅裁……乃執仲幾以歸。三月歸諸京師。	經但書所執不書所歸。
37	哀	十六	春王正月己卯衞世子蒯聵自戚入于衞，衞侯輒來奔。	十五年閏十二月……。	經從告。

1	隱	三	春王三月庚戌天王崩。	三月壬戌平王崩。	實以壬戌崩欲諸侯之速至，故遠日以赴。
4	莊	八	十有一月，癸未齊無知弒其君諸兒。	冬十二月……。	傳誤。
12	文	二	三月乙巳及晉處父盟。	夏四月……。	經傳必有誤。
16	成	二	八月庚寅衞侯速卒。	九月……。	據傳庚寅九月七日。
17		六	二月衞孫良父帥師侵宋。	三月……。	無說。
18		十	五月……丙午晉侯獳卒。	六月丙午……。	據傳丙午六月七日。
21	襄	二	六月，庚辰鄭伯睔卒。	七月庚辰……。	經誤。
22		三	六月……戊寅叔孫豹及諸侯之大夫及陳袁僑盟。	秋……。	經誤。
25		十	春公會晉……會吳于柤。	春會于柤，會吳子壽夢	經書春書始行

				也。……夏四月戊午會于柤。	也。
30	昭	八	冬十月壬午楚師滅陳。	冬十一月壬午……。	傳誤。
31		十二	五月葬鄭簡公。	六月……。	經誤。
32		十三	夏四月楚公子比自晉歸于楚，弒其君虔于乾谿。	夏五月……。	經誤。
33		廿二	六月……劉子單子以王猛居于皇。	秋七月戊寅……。	經誤。
34		廿二	秋劉子單子以王猛入于王城。	冬十月丁巳……。	經誤。
35		廿二	冬十月王子猛卒。	十一月乙酉……。	經誤。

杜預對前者絕大多數釋之曰「經從告」「經從赴」，對後者非曰「經誤」，則曰「傳誤」，或「兩者必有誤」。

然就上兩表詳加考察，甲表所列左傳書時在春秋之前者，計二十二例，其中除6號、11號經、傳相差近年，可能爲錯誤（註一）或錯簡（註二）之外，其餘二十例，經、傳相差一月、兩月不等，且無明顯超越兩月以上者。此一現象恰與周正（建子）書時和殷正（建丑）、夏正（建寅）書時之月差合。分條考之，知前賢已多有說。如：

2號，隱六年春秋：「冬，宋人取長葛。」

隱六年左傳：「秋，宋人取長葛。」

杜預於經文下注之云：「秋取冬乃告也。」孔疏承之。

顧棟高春秋大事表曰：

案，春秋時諸侯惟晉用夏正。先儒謂晉封太原，因唐虞故俗，理或然也。此係宋來告，宋爲殷之後，當用殷正，亦當差一月。

趙翼陔餘叢考卷二云：「是宋用殷正也。」

左傳會箋於經文下箋曰：「周之冬，宋之秋矣。非秋取冬告也。」又於傳文下曰：「傳內月日，與經不同者甚多。蓋左氏雜取當時諸侯史策，有用夏正者，有用周正者。然則宋人取長葛，經言冬，而傳言秋，其亦兼殷正言之也。」

3號，桓七年春秋：「夏，穀伯綏來朝。鄧侯吾離來朝。」

桓七年左傳：「春，穀伯鄧侯來朝。」

杜注：「以春來夏乃行朝禮，故經書夏。」

孔疏承之曰：「傳在春，經在夏，經書實朝之曰，故春來至夏乃書之。」

春秋左傳注曰：

經書「夏」，而傳書「春」，杜注以為「以春來，夏乃行朝禮」。經、傳書時，或有乖異，經用周正，傳用夏正，此亦宜然。

5號，僖五年春秋：「春，晉侯殺其世子申生。」

僖四年左傳：「……十二月戊申，縊于新城。」

杜氏於經下注之曰：「書春從告」孔疏曰：「傳稱晉侯使以殺太子申生之故來告，實以去年死告稱今年殺，故以今年書也。」

顧棟高春秋大事表四十八杜氏時日之誤曰：

案經書春，不書月數，蓋春二月也。晉用夏正，晉之十二月，為周之春二月。晉以十二月告，魯史自用周正，故書春耳。杜氏以晉人赴告之日書之，非也。

觀此前三例，知前賢不但有說，且極肯定。其餘各號，除因錯誤等特殊因素造成者外，大體亦多如上例所述，乃由於春秋書時用周正，左傳雖亦用周正，但因雜取各國史料而成書，間用夏正、殷正，故經、傳書時有此差異也。此類問題，先賢、時彥既多已有說，大致已成定論，筆者不再一一贅述矣。

唯乙表所列，左傳書時在春秋之後者，計十五例，除1號「庚戌」「壬戌」日異而月同外，其餘十四例，經、傳概差一月，且無明顯相差一月以上者，此一現象雖恰與周正（建子）

和秦正（建亥）記時之月差合，但前賢無說，且秦顓頊曆乃呂不韋所造，春秋時代秦曾否行建亥之正，一時尙乏有力之證據，筆者就曆法探索多年，亦僅發現其可能，而仍不敢決，故姑將探索所得附列於本書之末，名之曰「春秋時代秦曾否行建亥之正之商榷」，以供研治春秋同好之參考，並請注意及此耳。

本　文

秦行建亥之正，且漢初承之，此點史記、漢書等均有明確之記載（註一）當毫無問題。秦行建亥之正，在秦統一六國前—最遲可認定在呂不韋當權時—已於其國內行之。此點筆者於拙作「秦正建亥不自秦一六國始」中，已舉呂氏春秋之例證明（見中華文化復興月刊第十三卷第二期）（註四）。似亦無問題。

至於秦行建亥之正，能否再上推到呂不韋當政之前，或更進而上推到春秋時代？此一問題，不易突破，因言及秦曆即令人想到顓頊曆，據大衍曆議，秦顓頊曆爲呂不韋造。呂不韋當權之前，或秦始皇元年之前（註五）顓頊曆既未造出，當然無實施之可能。程發軔先生對此類問題謂：

顓頊曆用於秦，據大衍曆議呂不韋斷取近距以乙卯爲元，約行四十年，漢初承之，沿用一百有二年，合之爲一百四十二年。秦以前未敢懸斷。（見程先生原稿本春秋曆說。）如基於呂氏造顓頊曆，而謂「秦以前未敢懸斷」確屬正確。但從另一方面看，呂氏所造之顓頊曆，雖不可能實行於秦始皇之前，而始皇之前之秦國行建亥之正，似仍有可能。蓋緣於呂氏爲秦人造曆，在在有承秦人之舊之迹象。茲概述如下：

㈠、命名符合秦先：呂氏爲秦人造曆名之曰「顓頊曆」。顓頊乃秦人之先祖。史記秦本紀曰：

秦之先，帝顓頊之苗裔孫曰女脩……。

而後，女脩生大業，大業生大費……至周考王封之秦等，史記記之甚詳。呂氏爲秦造曆，而以秦人之先顓頊命名。顯然意在承秦人之傳統。

㈡、理論、觀念承秦人之舊：吾人知道，秦人德水、尚黑、行建亥之正，以十月爲歲首。民國六十九年中央日報文史版，九十三期刊「春秋王正月眞義之探討」一文，謂秦正建亥自秦文公始。該文曰：

……尤其是秦國更獨特，它自文公開始有史記事時起（平王東遷之初，西元前七五三年），就一直實施建亥曆法，以十月爲歲首。（見漢書高帝紀秦二年十月顏師古注引文穎說。……）

考顏師古所引文穎之言與史記封禪書所述文字略異而義實同。漢書高帝紀秦二年十月顏師古注：

文穎曰：「十月，秦正月。始皇卽位。周火德，以五勝之法勝火者水，秦文公獲黑龍，此水德之瑞「於是更名河爲『德水』，十月爲正月，謂建亥之月水德位，故以爲歲首。」

史記封禪書曰：

秦始皇既幷天下而帝，或曰：「黃帝德土德……周以水德，有赤鳥之符。今秦變周，水德之時，昔秦文公出獵，獲黑龍，此其水德之瑞。」於是秦更名河曰「德水」，以冬十月爲歲首，色尙黑。

且類此之言，史記曆書、漢書律曆志等亦在在有之。如將此類文字視爲秦正建亥實施之年代提前到秦文公時期之確切證據，似嫌不足。但作爲呂氏爲秦人造曆，在觀念上、理論上之承襲和依據，當無不可。

至於五勝之推，「秦自以爲獲水德，以十月爲正。」（註六）之「自以爲」，似亦與秦先顓頊「德永」有關。

觀「秦自以爲」之意念，一般認爲原之於二：

一曰秦以周爲火，秦自以爲用水勝火。如孟康於漢書律曆志「亦頗推五勝」句下注之曰：「五行相勝，秦以周爲火，用水勝火。」

二曰秦文公獲黑龍，有水德之瑞。如師古於漢書律曆志「……色上黑」句下注之曰：「獲水德，謂有黑龍之瑞。」

此二意念，似又皆原於史記秦始皇本紀「秦初幷天下……始皇推終始五德之傳，以周德火德，秦代周德，從所不勝，方今水德之始，改年始，朝賀皆自十月朔。」曁史記封禪書「秦始皇既幷天下而帝，或曰：『黃帝德土德，黃龍地螾見。夏德木德，靑龍止於郊，草木暢茂。殷德金德，銀自山溢。周德火德，有赤烏之符。今秦變周，水德之時。昔秦文公出獵，獲黑龍，此其水德之瑞。』於是秦更名河曰『德水』」。

考五勝之推，漢書律曆志另有其說，謂周德木而非火也。且曰：「秦以水德，在周、漢，木、火之間。」玆將漢書律曆志自太昊而至有漢，五勝之推，簡記於下：

太昊氏：……首德始於木，故爲帝太昊……。

炎帝：……以火承木，故爲炎帝……。

黃帝：……火生土，故爲土德……。

少昊氏：……土生金，故爲金德。天下號曰金天氏。

顓頊帝……金生水，故爲水德……。
帝嚳……〔水〕生木，故爲木德……。
唐帝……木生火，故爲火德……。
虞帝……火生土，故爲土德……。
伯禹……土生金，故爲金德……。
成湯……金生水，故爲水德……。
武王……水生木，故爲木德。天下號曰周室……。
漢高祖皇帝：著記，代秦繼周。木生火，故火德。
天下號曰漢。

如上所述，則周旣德木，論「秦自以爲獲水德」者，謂秦「自以爲用水勝火」，失所據矣。秦可以水滅木，或木可生水乎？至於「獲黑龍」雖與秦之先人有關，但「德水」之義不夠明顯。最明確之意念，乃秦之先顓頊屬水德，「秦自以爲獲水德」之「自以爲」，當爲承其先顓頊之「水德」而發，較更爲入情入理也。

當然，五行之說，起之頗晚，然五行之說旣將帝顓頊與秦同列德水，必然認爲二者有其密切之關係。於此益知呂氏爲秦人造曆，在理論上，觀念上，乃承秦之舊也。

(丙)、秦承顓頊造曆元乙卯：在此或有人問曰：「秦曆、顓頊曆本爲一物，當然皆元乙卯。此言『秦承顓頊造曆元乙卯』似將顓頊時曆與秦始皇行之於天下之顓頊歷，分之爲二矣。」管見認爲事實確非一物。不過，二者有其關聯性、承繼性，極易混而爲一耳。這種看法，史記、漢書早有交待。史記曆書曰：

太史公曰：神農以前尚矣。蓋黃帝考定星曆，建立五行，起消息，正閏餘，於是有……顓頊受之，乃命南正重司天以屬神，命火正黎司地以屬民……其後三苗服九黎之德，故二官咸廢所職，而閏餘乖次……夏正以正月，殷正以十二月，周正以十一月。蓋三王之正若循環，窮則反本。天下有道，則不失紀序；無道則正朔不行於諸侯。幽、厲之後，周室微，陪臣執政，史不記時，君不告朔……其後戰國並爭……而亦因秦滅六國，兵戎極煩，又升至尊之日淺，未暇遑也。而亦頗推五勝，而自以爲獲水德之瑞，更名河曰「德水」而正以十月……。（詳閱史記曆書原文）

漢書律曆志曰：

曆數之起尚矣。傳述顓頊命南正重司天，火正黎司地。其後三苗亂德……故自殷、周，皆創業改制，咸正曆紀，服色從之，順其時氣，以應天道。三代既沒，五伯之末，史官喪紀，疇人子弟分散，或在夷狄，故其所記，有黃帝、顓頊、夏、殷、周及魯曆。

戰國擾攘，秦兼天下，未遑暇也，亦頗推五勝，而自以爲獲水德，乃以十月爲正色尚黑。（詳閱漢書原文）

以上史記、漢書這兩大段，清清楚楚敍述黃帝時，行黃帝大臣所制之曆；顓項時，行顓項大臣所制之曆。及戰國，秦幷六國，將「正以十月」之秦曆——卽呂不韋所制之顓項曆——推行天下。

其他，如司馬貞曆書索引所言更爲明顯。索引曰：

黃帝調曆以前有上元太初曆等，皆以建寅爲正，謂之孟春也，及顓項、夏禹亦以建寅爲正。唯黃帝及殷、周、魯並建子爲正。而秦正建亥，漢初因之。

此處旣言「及顓項、夏禹……」卽謂顓項、夏禹時亦各有其曆也。

再者，秦漢間所傳之古六曆「黃帝、顓項、夏、殷、魯」，其中之顓項，卽慣指秦始皇時之顓項曆。學者多謂爲秦漢時所造，非黃帝、顓項時代物。如孔穎達謂：

漢存六曆，皆秦、漢之際，假託爲之」（見尚書堯典正義）。

祖冲之及僧一行並謂「古曆之作皆漢初，卻較春秋，朔並先天。」（見宋書曆志及大衍曆日度議）

總之，黃帝、顓頊時必自有其所行之曆也。

現在再回頭談呂氏爲秦造顓頊曆元乙卯，是否承顓頊之舊？續漢書律曆志曰：

司馬彪曰：黃帝造曆起辛卯，顓頊用乙卯，虞用戊午，夏用丙寅，殷用甲寅，周用丁巳，魯用庚子，漢承秦初用乙卯，至武帝元封不與天合，乃作太初曆元以丁丑。

考該文所稱之「顓頊」，依句法看當爲帝名，而非呂氏所制顓頊曆之曆名。理由有二：

一曰該文首言「黃帝造曆起辛卯」，而不曰「黃帝曆起辛卯」，依其文句應爲黃帝所造，或黃帝時所造之曆起辛卯也。司馬貞史記曆書索引曰：「系本及律曆志黃帝使羲和占日，常儀占月，臾區占星相，伶倫造律律呂，大橈作甲子，隸首作算數，容成綜此六術而著調曆也。」知此所謂「黃帝造曆」，乃指黃帝時容成所造之調曆。下文「顓頊用乙卯」，當與上文之文句同。乃指顓頊時所造之曆用乙卯也。

二曰該文列有黃帝、顓頊、虞、夏、殷、周、魯、漢等帝王、朝代名，與漢初所謂之古六曆「黃帝、顓頊、夏、殷、周、魯」名目異。蓋六曆中無「虞」曆也。

故該文所謂「顓頊用乙卯」宜指顓頊時所造之曆元乙卯。「漢承秦初用乙卯」乃漢承秦初呂氏所制之秦顓頊曆乙卯也。

總之，顓頊時曆，與秦始皇推行天下之呂氏所制顓頊曆，自古易混爲一談。事實上，秦始皇所行之顓頊曆，乃承秦先顓頊之舊而制之者也。

綜上所述，呂氏爲秦人造顓頊曆既多本秦人之舊，蓋可想見，呂氏造建亥顓頊曆，非但不能否定呂不韋當權之前秦建亥之正之實施，反而更增加其可能性矣。

【注釋】

註一　6號，僖八年春秋：「冬，十有二月丁未，天王崩。」

左傳隱七年：「冬……閏月，惠王崩。」

左傳會箋曰：「惠王實以上年閏月崩，其告也必以崩日告，此丁未必是上年閏月日子。魯史因其赴而書之也。」

註二　11號，僖二十四年春秋：「冬，晉侯夷吾卒。」

左傳僖公二十三年：「九月晉惠公卒。」

顧炎武補正曰：「疑此錯簡，當在二十三年之冬。」

註三　史記秦始皇本紀曰：

秦初并天下……始皇推終始五德之傳，以爲周德火德，秦代周德，從所不勝，方今水德之始，改年始，朝賀皆自十月朔。

史記曆書曰：

……而亦因秦滅六國，兵戎極煩，又升至尊之日淺，未暇遑也。而亦頗推五勝，而自以爲獲水德之瑞，更名河曰「德水」，而正以十月，色上黑。

漢書律曆志曰：

戰國擾攘，秦兼天下，未遑暇也，亦頗推五勝，而自以爲獲水德，以十月爲正，色上黑。

漢初承之。如史記張蒼傳曰：

張蒼爲計相時，緒正律曆，以高祖十月始至壩上，因故秦本以十月爲歲首，弗革。推五德之運，以爲漢當五德之時，尙黑如故。

註　四　茲摘錄拙作「秦正建亥不自秦一六國始」部份於下：

秦相呂不韋當權時，集諸儒成呂氏春秋。呂氏春秋原則上用建寅之夏正，但月令季秋之月（九月）說：「合諸侯百縣，爲來歲受朔日」此言顯然是以九月爲歲終，十月爲授朔，也就是以「亥」爲正的曆法。考始皇十二年呂不韋死，呂氏春秋之完成，當在始皇十二年之前，而始皇二十六年始併天下。足證秦一天下前，以十月爲歲首的曆法（建亥），在其國內實行已久。

註　五　朱文鑫天文考古錄古今名曆表列顓頊曆爲秦始皇元年呂不韋造。

註　六　漢書律曆志曰：「戰國擾攘，秦兼天下，未遑暇也，亦頗推五勝，而自以爲獲水德，以十月爲正，色上黑。

參考書目舉要

一、春秋類

春秋
左氏傳
國語
　國語注　韋昭
公羊傳
穀梁傳
春秋公羊經傳解詁　何休
　公羊傳疏　徐彥
穀梁廢疾　何休
左氏膏肓　何休

起廢疾　鄭玄
箴膏盲　鄭玄
春秋經傳集解　杜預
春秋釋例　杜預
春秋穀梁傳集解　范寧
穀梁傳疏　楊士勛
春秋左氏傳正義　孔穎達
春秋集傳纂例　陸淳
春秋啖趙二先生集傳辨疑　陸淳
春秋集傳微旨　陸淳
春秋尊王發微　孫復
春秋權衡　劉敞
春秋意林　劉敞
春秋傳　劉敞
春秋經說　程頤

春秋名號歸一圖	馮繼元
春秋皇綱論	王晳
春秋集解	蘇轍
春秋經解	孫覺
春秋辨疑	蕭楚
春秋傳	胡安國
石林春秋傳	葉夢得
春秋考	葉夢得
春秋讞	葉夢得
春秋集解	呂祖謙
春秋左氏傳說	呂祖謙
春秋集註	高閌
春秋後傳	陳傅良
春秋通訓	張大亨
春秋通說	黃仲炎

春秋集注　張洽
春秋分記　程公說
春秋王霸列國世紀論　李琪
春秋經筌　趙鵬飛
春秋或問　呂大圭
春秋五論　呂大圭
春秋集傳詳說　家鉉翁
春秋纂言　吳澄
春秋集傳釋義大成　俞皋
春秋諸國統紀　齊履謙
春秋本義　程端學
春秋或問　程端學
春秋諸傳會通　李廉
讀春秋篇　陳深
春秋屬辭　趙汸

春秋集傳	趙汸
春秋師說	趙汸
春秋金鎖匙	趙汸
春秋經傳闕疑	鄭玉
春秋胡傳附錄纂疏	汪克寬
春王正月考	張以甯
春秋事義全考	姜寶
春秋非左	郝敬
春秋正傳	湛若水
左傳附注	陸粲
春秋書法鈎元	石光霽
左傳杜林合注	王道焜趙如原同編
春秋說志	呂柟
春秋管窺	徐庭垣
左傳杜解補正	顧炎武

春秋毛氏傳　毛奇齡
春秋書簡刊誤　毛奇齡
春秋稗疏　王夫之
春秋左傳補注　馬宗璉
學春秋隨筆　萬斯大
左傳記事本末　高士奇
春秋長曆　陳厚耀
春秋世族譜　陳厚耀
欽定春秋傳說彙纂　王掞
春秋宗朱辨義　張自超
春秋疑義　華學泉
春秋說　惠士奇
春秋大事表　顧棟高
春秋左傳小疏　沈彤
春秋左傳補注　惠棟

左通補釋　梁履繩

左傳義法　方望溪（王兆符傳述）

左傳補疏　焦　循

春秋左氏古經　段玉裁

春秋傳　牛運震

春秋左傳公羊穀梁校勘記　阮　元

春秋異文箋　趙　坦

春秋三傳異文釋　李富春

春秋三傳異同考　吳陳琰

春秋釋　黃式三

春秋左傳詁　洪亮吉

左傳補疏　焦　循

春秋公羊通義　孔廣森

公羊禮說　凌　曙

讀三傳隨筆　成　瓘

春秋左氏傳補注　沈欽韓
左氏春秋考證　劉逢祿
箴膏肓評　劉逢祿
穀梁廢疾申何　劉逢祿
公羊何氏解詁箋　劉逢祿
公羊何氏釋例　劉逢祿
春秋左氏古義　臧壽恭
春秋隨筆　顧奎光
春秋賈注輯述　李貽德
春秋古經說　侯　康
春秋日月考　譚　澐
春秋左傳評議　俞　樾
左氏春秋僞傳辨　王樹枏（手稿本文海出版社影印出版）
春秋朔閏異同　羅士琳
春秋夏正　胡天游

春秋分年系傳表　翁方綱
春秋正辭　莊存與
春秋復始　崔　適
春秋左傳舊注疏證　劉文淇
春秋大義微言筆削考　康有爲
春秋左傳讀敍錄　章炳麟
鐂子政左氏說　章炳麟
春秋左氏疑義答問　章炳麟
讀左劄記　劉師培
春秋左傳問答　劉師培
穀梁荀子相通考　劉師培
春秋左氏傳月日古例考　劉師培
春秋左氏傳時月日古例註微　劉師培（國粹學報七卷2—4號）
春秋三傳異同評　陳　柱
公羊家哲學　陳　柱

重訂穀梁春秋經傳古義疏　廖平
起起穀梁廢疾　廖平
清儒春秋彙解　鼎文書局
春秋穀梁傳注　何劭忞
左氏春秋義例辨　陳槃
讀穀梁札記　陳槃
不見于春秋大事表之春秋方國稿　陳槃（中研院史語所專刊59）
春秋大事表列國爵姓及存滅表譔異　陳槃
續公羊墨守　王樹榮
續穀梁廢疾　王樹榮
續左氏膏肓　王樹榮
公羊何注考訂　王樹榮
續公羊墨守附篇　王樹榮
讀左持平　王樹榮
春秋三傳學　方孝岳

左傳通論　方孝岳
穀梁傳之著於竹帛及傳授源流考　李曰剛
左傳虛字集釋　左松超
經詞衍釋左傳解正誤　左松超
公羊穀梁爲卜商或孔商傳異名考　杜鋼百（武大文哲季刊三卷1號）
孔氏撰修春秋異於舊史文體考　杜鋼百（武大文哲季刊三卷2號）
公羊徐疏考　吳承仕
孟子春秋說微　劉　異
春秋公羊疏作者考　潘重規
左氏春秋考證書後　錢玄同（國學叢刊一卷二期）
春秋三傳異文考　吳汝綸
春秋孔義　高攀龍（國學昌明社—一卷六期）
春秋經世微　宋育仁（國故二卷三期）
春秋名字解詁補誼　黃　侃（國粹學報四卷四號）
論左傳之可信及其性質　胡　適（中山大學語歷所周刊一卷一期）

春秋的研究 衞聚賢（國學月刊二卷6、7期）

左傳之研究 衞聚賢（國學論叢一卷1、2期）

論左傳與國語的異點以後 衞聚賢（新月月刊一卷九期）

穀梁不傳春秋證 張西堂（學文雜誌一卷三期）

穀梁學通論 戴增元（國學論衡五期上）

讀左隨筆 陳朝爵（安徽大學月刊二卷三、四期）

讀左雜記 徐　震（國學論衡五期）

左邱明之姓氏 黃仲琴（中山大學語歷所週刊七集82期）

春秋左氏傳地名圖考 程發軔

春秋曆說 程發軔（稿本）

課左分記 程發軔（稿本）

論左傳與國語的異點 馮元君（新月月刊一卷七期）

國語左傳論集 張以仁（台北東昇出版事業公司印行）

關於左傳「君子曰」的一些問題 張以仁（孔孟月刊53年1月號）

春秋穀梁傳阮氏校勘記補正 田宗堯（孔孟學報八期）

太史公左氏春秋義述　劉正浩（人人文庫）
周秦諸子述左傳考　劉正浩（人人文庫）
兩漢諸子述左傳考　劉正浩（人人文庫）
六十年來之左氏學　劉正浩（在六十年來之國學內）
穀梁范注發微　王熙元（嘉新水泥公司文化基金會研究論文第27種）
穀梁著述考徵　王熙元
穀梁古佚注考　王熙元（慶祝瑞安林景伊先生六秩誕辰論文集上冊）
六十年來之穀梁學　王熙元（在六十年來之國學內）
清代公羊學之演變　陸寶千
張三世古義　黃彰健
兩宋春秋學的主流　牟潤孫
春秋時代母系遺俗公羊證義　牟潤孫
春秋吉禮考辨　周　何
左傳先配而後祖辨　周　何（潘重規教授七秩誕辰論文集）
春秋研究　高明、周何（孔孟月刊19卷11期）

孔子春秋與春秋三傳　洪安全（史原10期）
讀左傳會箋札記　田宗堯（孔孟學報九期）
春秋三傳述聞商誼　田宗堯（大陸雜誌30卷3期）
讀左傳—辨左傳經後人竄亂之文字　李時銘（中華學苑20期）
春秋左傳杜氏義述要　王初慶（人文學報四期）
杜預的春秋學　劉又銘（孔孟月刊21卷1期）
左傳補箋　薛順雄（東海中文學報1期）
左傳國語史記之比較研究　劉　節（說文五卷一、二期）
春秋大義述　楊樹達
春秋辨例　戴君仁
春秋三傳研究論集　戴君仁等
左傳禮說　張其淦
從公羊學論春秋的性質　阮芝生
六十年來之公羊學　阮芝生（在六十年來之國學內）
春秋異文考　陳新雄

春秋三傳比義　傅隸樸
春秋左傳注　楊伯峻
春秋古經洪詁補正　林耀曾（師大研究所集刊第九號）
春秋史考辨　鄭良樹
春秋後語輯校　鄭良樹（書目季刊4卷4期）
啖趙隆三家春秋之說　章　羣（錢穆先生八十歲紀念論文集）
左傳別疏　陶癯石
左傳微　吳北江
左傳分國集注　韓席籌
左文襄公年譜　嚴正鈞
左傳註釋　袁少谷
左傳今註今譯　李宗侗
春秋左氏傳杜注釋例　葉政欣（師大研究所集刊第九號）
春秋左傳異文集證　朱廷獻
左傳論文集　陳新雄于大成同編

左傳論評選析新編　洪順隆
左傳譯文　沈玉成
左傳選注　梁寬、莊適同選注
左傳輯釋　安井衡
左傳會箋　竹添光鴻
左傳國語筮占考　今井宇三郎（國文學漢文學論叢14）
春秋經的文體　高橋君平（研究紀要—鹿耳島短期大學）
左傳注釋　高本漢
左傳眞僞考及其他　高本漢（陸侃如譯）

二、諸經類

尚書注疏
毛詩注疏
周禮注疏
儀禮注疏
禮記注疏

論語注疏　許　愼
孟子注疏　鄭　玄
五經異義　陸德明
駁五經異義　朱　熹
經典釋文　顧炎武
論語集註　顧炎武
日知錄（黃汝成集釋）　惠　棟
九經誤字　王引之
九經古義　王引之
經義述聞　萬斯大
經傳釋詞　孔廣森
經學五書　江　永
經學巵言　黃以周
羣經補義
經訓比義

經學源流考　甘鵬雲
五經異義疏證　陳壽祺
經義考　朱彝尊
新學僞經考　康有爲
中國學術思想大綱　林景伊
尚書釋義　屈翼鵬

三、其他書類

戰國策（高誘註）
荀子　荀　況
呂氏春秋　呂不韋
史記（唐司馬貞索引，張守節正義，宋裴駰集解。）　司馬遷
漢書（唐顏師古注）　班　固
後漢書　范　曄
說文解字（清段玉裁注）　許　愼
說文通訓定聲　朱駿聲

世本　（藝文印書館）
新序　（商務印書館）
說苑　劉　向
論衡　王　充
晉書　房　喬
通典　杜　佑
水經注　酈道元
夢溪筆談　沈　括
困學紀聞　王應麟
明本竹書紀年　范欽藏本
讀史方輿紀要　顧祖禹
竹書紀年義證　雷學淇
日知錄（黃汝成集釋）　顧炎武
篙菴閒話　張爾岐
讀書雜志　王念孫

十駕齋養新錄	錢大昕
古書疑義學例五種	俞樾劉師培楊樹達等
陔餘叢考	趙　翼
讀書管見	金其源
春秋地名考略	高士奇
春秋地名考實	江　永
春秋地名辨異	程廷祚
左傳地名補注	沈欽韓
春秋地名圖考	程旨雲
天文考古錄	朱文鑫
讀書叢錄	洪頤煊
國學蒙證	宋令君
讀史札記	盧文弨
橫陽札記	吳承志
史記探源	崔　適

國故論衡　章炳麟
國學略說　章炳麟
曆術卮言甲集　魯實先
卜辭綜述　陳夢家
歲時起源　于省吾
甲骨文字集釋　李孝定
周秦名字解詁彙釋補編　周法高
積微居讀書記　楊樹達